Le guide
de la ponctuation

André Dugas

Le guide
de la ponctuation

Les Éditions
LOGIQUES

LOGIQUES est une maison d'édition reconnue par les organismes d'État responsables de la culture et des communications.

Révision linguistique: Claire Morasse, France Lafuste, André Roy
Mise en pages: Philippe Langlois
Couverture: Christian Campana

Distribution au Canada:

Logidisque inc., 1225, rue de Condé, Montréal (Québec) H3K 2E4
Téléphone: (514) 933-2225 • Télécopieur: (514) 933-2182

Distribution en France:

Librairie du Québec, 30, rue Gay-Lussac, 75005 Paris
Téléphone: (33) 1 43 54 49 02 • Télécopieur: (33) 1 43 54 39 15

Distribution en Belgique:

Diffusion Vander, avenue des Volontaires, 321, B-1150 Bruxelles
Téléphone: (32-2) 762-9804 • Télécopieur: (32-2) 762-0062

Distribution en Suisse:

Diffusion Transat s.a., route des Jeunes, 4 ter., C.P. 1210, 1211 Genève 26
Téléphone: (022) 342-7740 • Télécopieur: (022) 343-4646

Les Éditions LOGIQUES
1247, rue de Condé, Montréal (Québec) H3K 2E4
Téléphone: (514) 933-2225 • Télécopieur: (514) 933-3949

Les Éditions LOGIQUES / Bureau de Paris
Téléphone: (33) 1 42 84 14 52 • Télécopieur: (33) 1 45 48 80 16

Le guide de la ponctuation

© Les Éditions LOGIQUES inc., 1997
Dépôt légal: Deuxième trimestre 1997
Bibliothèque nationale du Québec
Bibliothèque nationale du Canada

ISBN 2-89381-386-0
LX-470

À Gaston Miron

Remerciements

Toute ma reconnaissance va à Monsieur Denis Labelle qui m'a donné beaucoup de son temps à différentes étapes de la rédaction de cet ouvrage.

Je remercie Mesdames Louise Fontaine et Véronique Léger, de bonnes lectrices, qui ont su tirer de leurs propres lectures plusieurs exemples pertinents qu'elles m'ont transmis.

Je tiens également à remercier Monsieur Gilles Dorion pour son obligeance dans la révision d'une version avancée du tapuscrit.

Les professeurs Brita et Daniel Bresson, d'Aix-en-Provence, m'ont soutenu et m'ont assuré un encadrement physique de rêve durant mes recherches préliminaires.

Table des matières

LA PVN-
CTVATION
DE LA LANGVE
FRANCOYSE.

I toutes langues gene‑
ralement ont leurs dif
ferences en parler , &
escripture , toutesfoys
non obstant cela elles
n'ont qu'une punctua‑ *Toutes lan‑*
tion seulement : & ne *gues n'ont que*
une punctua‑
trouueras, qu'en ycelle *tion.*
les Grecs, Latins, Frã‑
coys, Italiens , ou He‑
spaignolz soient differents . Doncques ie t'instrui‑
ray briefuement en cecy. Et pour t'y bien endoctri‑
ner il est besoing de deux choses. L'une est , que tu
congnoisses les noms, & figures des poincts. L'aul‑
tre, que tu entendes les lieux, ou il les sault mettre.

Quant aux figures, elles sont telles, qu'il s'ensuict, *Les figures des*
ou en ceste sorte ‑ *poincts.*

Estienne Dolet, 1541

> C'était un truc sans queue ni tête, sans point ni virgule, pas de ponctuation, pas de paragraphe !
>
> Pierre Léon
> *Sur la piste des Jolicoeur*

Il y a au moins huit mille langues. Très peu d'entre elles ont été étudiées, puis codées pour être écrites. Le passage de l'oral à l'écrit ne se fait pas sans peine : la correspondance entre les sons et les bruits des locuteurs d'une langue, qui sont très variés, avec le code de transcription choisi, toujours restreint, ne peut être qu'approximative.

C'est par un long apprentissage durant la scolarité que la maîtrise graduelle de ce passage se fait. On peut distinguer *grosso modo* les trois types d'habileté à acquérir concurremment :

- l'ajustement du style oral à celui de l'écrit (on ne peut transcrire tout, nos borborygmes, nos rots, nos bégaiements, nos reprises ; il faut substituer de l'écrit à la dimension gestuelle de l'oral, etc.) ;
- le respect du code de transcription de la langue (orthographe d'usage et orthographe grammaticale) ;
- la division du texte par une ponctuation adéquate.

L'habileté qui concerne l'étude puis la maîtrise de la ponctuation est certainement la plus négligée durant la scolarité. Les ouvrages qui se consacrent aux normes de l'orthographe, les grammaires scolaires, font peu ou pas de cas de la ponctuation. Les ouvrages de lexicographie

[13]

ou les dictionnaires ont développé une ponctuation du mot, riche de signes variés, mais pour leur usage propre. Les traités de typographie peu diffusés, trop spécialisés, ne peuvent, en aucune façon, s'adresser aux écoliers ou au grand public.

Les premiers signes de ponctuation ont été utilisés il y a bien longtemps. Dans le compte rendu d'une table ronde sur la ponctuation, publié dans la revue *Langue française* (*cf.* Catach, 1980), on distingue trois étapes de l'évolution de la ponctuation : celle qui a précédé et suivi l'imprimerie, celle qui couvre les XVIIIe et XIXe siècles, enfin celle qui marque le XXe siècle. Pendant la première période, on ne s'est servi que des trois signes de base : le colon, devenu le point [.], le comma, devenu les deux-points [:], la virgule [,]. De façon secondaire, trois autres figures de points s'utilisent : le point-virgule [;], le point d'exclamation [!] et les parenthèses [( )]. D'autres signes font leur apparition pendant l'étape suivante. Les grammairiens de la deuxième période définissent la ponctuation en fonction des besoins des lettrés d'alors qui faisaient la lecture à haute voix : les signes étaient placés pour simuler l'intonation et la pause de la voix. De nos jours, le nombre des signes de ponctuation s'est accru et la panoplie des caractères spéciaux s'est considérablement élargie, comme en témoigne ce guide pratique. La ponctuation n'est plus le domaine réservé des gens de lettres et des gens du livre : la diffusion des signes, anciens et nouveaux, se fait largement grâce aux machines à traitement de texte.

Dans l'avertissement de l'éditeur d'une édition des *Confessions* et des *Rêveries du promeneur solitaire* de Jean-Jacques Rousseau (Club du livre sélectionné), on précise ce qui suit : « Nous avons pris le parti d'unifier l'orthographe assez fluctuante de Rousseau − en particulier celle des noms propres ; les bévues grammaticales évidentes ont été corrigées, une ponctuation cohérente rétablie : la lecture − sinon la consultation fréquente − d'un texte aussi universel que celui des *Confessions* ne doit pas être rebutante... » Nous avons donc dû exercer une certaine circonspection dans le choix des textes à l'étude et ne citer que des textes non modifiés comme dans le cas de l'ouvrage de Rousseau. Quant aux textes traduits d'une autre langue en français, nous n'avons retenu que ceux, peu nombreux, qui appuyaient notre description.

Quel est le rôle actuel de la ponctuation ? Les signes de ponctuation sont des repères pour le lecteur ; ils sont chacun un message et remplissent une fonction spécifique ; ils sont enfin une composante nécessaire de l'écrit, parfois en parallèle avec des signaux sonores comme la pause de la voix ou l'intonation. Les signes de ponctuation sont surtout des marqueurs de relation entre les phrases, les mots et les divisions du texte. Enfin, signes de ponctuation et caractères spéciaux association partagent une caractéristique commune : ce sont des séparateurs, à la différence d'autres signes, par exemple les symboles [+], [-], [=], [¢], [$], [F], [£], [¥], [%], [@], [&], [®], [©], [ß], [™], qui sont des substituts de mots ou de formules.

Les manuels scolaires présentent le plus souvent une description étriquée, voire contradictoire de la ponctuation ; l'emploi des signes n'obéirait pas à des conditions formelles et dépendrait davantage de l'imagination débridée des auteurs d'œuvres de fiction, qui ne peuvent plus profiter des services discrets mais compétents des typographes, hélas, en voie de disparition. Sans un enseignement du bon usage de la ponctuation, les élèves et les étudiants en sont réduits à pratiquer les signes au jugé. Il en résulte une mauvaise structuration de la phrase, qui devient illogique ou agrammaticale, quand elle n'est pas investie de contresens et d'ambiguïtés. Un mauvais usage de ces signes entraîne à tout le moins un ralentissement dans la compréhension d'un texte, forçant ainsi le lecteur à reprendre pour lui-même la ponctuation du texte qui lui est soumis.

Les signes de ponctuation peuvent s'utiliser à des fins ludiques. Les jeux de langage se pratiquent surtout dans la narration de fiction, mais le langage de la publicité, par exemple, en est largement marqué. L'emploi fantaisiste des signes dépend alors du style particulier adopté ; il peut ne pas s'expliquer par les règles qu'on expose dans ce guide, qui conviennent à des textes généraux.

C'est ainsi que l'absence totale de ponctuation peut se justifier par la disposition du texte. On recommande de séparer par une virgule les éléments générique et spécifique d'une raison sociale quand ils sont inscrits à l'horizontale :

GUY LEBLANC, SCULPTEUR

mais, à la verticale, on n'inscrit pas de virgule :

GUY LEBLANC
SCULPTEUR

tout comme pour une inscription sur un monument :

En montant toujours, il longea un monument
superbe, d'un style pur, d'un marbre fier, enlacé
de jeunes filles peu vêtues qui couraient et
bondissaient autour de sa frise, et il lut :

À Clairville
ses concitoyens reconnaissants

Jules Verne
Paris au XXe siècle

Il est intéressant de noter que l'écriture ludique – en
particulier celle qui convient aux textes poétiques –
recourt à la technique de la disposition dans la page au
détriment de toute ponctuation, comme dans ce texte :

Si tant que dure l'amour
j'ai eu noir
j'ai eu froid
tellement souvent
tellement longtemps
si tant que femme s'en va
il fait encore
encore plus noir
encore plus froid
tellement toujours
toujours tellement

Gaston Miron
« Seul et seule », dans *L'Homme rapaillé*

De la même manière, cet autre poème est présenté
comme suit, avec le seul point final :

Trois allumettes une à une allumées dans la nuit
La première pour voir ton visage tout entier
La seconde pour voir tes yeux
La dernière pour voir ta bouche
Et l'obscurité tout entière pour me rappeler tout cela
En te serrant dans mes bras.

Jacques Prévert
« Paris at Night », dans *Paroles*

[17]

Les signes de ponctuation de la phrase, tels que nous allons les présenter, sont décrits en relation avec la structure phrastique. Poser que le point sert à marquer la division des phrases entre elles entraîne que la maîtrise de l'usage de ce signe ne pourra se faire sans des analyses de base de la phrase.

Le français est une des langues dites SVO, c'est-à-dire une langue dont la phrase typique correspond à la séquence sujet-verbe-objet, quand d'autres langues, comme l'allemand ou le japonais, sont de type SOV, sujet-objet-verbe. Le terme « objet » comprend ici les compléments d'objets direct ou indirect, les attributs et les circonstants (ou compléments circonstanciels) :

Les phrases des textes suivants sont toutes typiques :

L'érable à sucre est un de nos plus grands arbres. Il atteint généralement vingt-sept mètres de haut et peut s'élever dans certaines circonstances favorables jusqu'à quarante mètres. Son diamètre est alors de cent vingt centimètres. Les forestiers emploient le sigle HPH (hauteur à poitrine d'homme) pour désigner le lieu du tronc où l'on mesure le diamètre ou la circonférence d'un arbre. Un érable à sucre vit en moyenne deux cent cinquante ans. Certains individus vivent jusqu'à quatre cents ans. Mais leur croissance diminue beaucoup après cent cinquante ans.

Pierre Morency
L'Œil américain

Jamais elle n'aurait cru qu'on pût être à la fois si heureux et si inquiet. La pluie fouettait les vitres. La voix du conteur s'élevait par-dessus les rafales.

Gabrielle Roy
La Petite Poule d'Eau

> Elle suit Panturle. Ils sont sur le bord de ce plateau où elle a eu à la fois tant de peur et tant de chaleur d'amour. Elle y pense. Elle pense que c'est le vent qui a été son marieur. Sa vie n'a commencé que de là. Tout « l'avant » ne compte plus guère. Elle y pense de temps en temps comme on pense à du mal dont on s'est guéri.
>
> **Jean Giono**
> *Regain*

On se rend compte qu'il n'y a qu'un signe de ponctuation qui les marque : le point qui sépare une phrase d'une autre. Tous les autres signes de ponctuation sont inutiles dans des phrases de ce type, du moins les trois auteurs en ont-ils jugé ainsi. Le point sert donc à découper un texte en phrases. On peut considérer que le point qui ponctue la fin d'un texte le sépare d'un texte virtuel et que, à ce titre, il ne diffère pas du point séparateur ; en raison de l'absence d'un texte réel à droite, on le désigne souvent par le « point final ».

Nous posons au départ que le point sert à distinguer des phrases et que les autres signes de ponctuation de la phrase marquent les relations que des parties de la phrase entretiennent entre elles. Dans la mesure où la ponctuation reflète les relations syntaxiques de la phrase, elle s'applique d'une façon méthodique. Elle relève donc des recherches faites en grammaire et doit favoriser l'apprentissage du français, en écriture et en lecture. Cet ouvrage reflète cette préoccupation constante qui est de montrer les liens entre la ponctuation et l'analyse grammaticale. Dans la première partie, nous verrons précisément les signes de ponctuation qui marquent la phrase. Des signes de ponctuation comme les parenthèses, les crochets ou les guillemets ne sont pas des signes spécifiques de la phrase. Ils appartiennent à la ponctuation du texte, ce que nous verrons dans la troisième partie.

D'autres signes marquent des unités moindres que la phrase : les signes orthographiques qui servent à la ponctuation du mot sont exposés dans la deuxième partie. Enfin, nous esquisserons dans la troisième partie les fonctions d'autres signes séparateurs qui conviennent à la ponctuation du texte, c'est-à-dire d'unités plus larges que la phrase. C'est là notre réaction au fait que « Le mot ponctuation couvre un champ sémantique restreint, celui de la phrase » (*cf.* Laufer, p. 86). Laufer aurait dû écrire *trop restreint*.

La reproduction de la première page du savant exposé que fait Dolet dans l'introduction de *La punctuation de la langue francoyse* (1541) est insérée dans la page qui précède l'introduction, comme une sorte de provocation. Dolet, un correcteur, est en effet un véritable précurseur du rôle « grammatical » de la ponctuation en ce sens qu'il est l'un des tout premiers – sinon le premier – à avoir attesté le rôle logique qu'elle joue, davantage que l'a fait la plupart des spécialistes qui l'ont suivi, même s'il croyait devoir mettre en relation les signes de ponctuation et les pauses orales nécessitées par la respiration, ce qui est aberrant.

Chacune des parties comprend, en plus des exemples à l'appui, des textes modèles parfois précédés de remarques pertinentes.

La bibliographie mentionne les ouvrages de référence et est suivie d'une liste des ouvrages cités.

André Dugas

Première partie

La ponctuation de la [phrase]

e blanc, signe séparateur par excellence, est conjoint à plusieurs signes de ponctuation de la phrase. Il est obligatoire après le point, la virgule (simple ou double), les points de suspension ; cette même règle vaut pour le point d'interrogation et le point d'exclamation s'ils ne sont pas suivis d'un autre signe de ponctuation.

Les autres signes doubles sont bordés d'un blanc à gauche, et d'un autre à droite si le membre fermant n'est pas immédiatement suivi d'un autre signe de ponctuation, par exemple la virgule. Sont rangés dans cette catégorie les parenthèses, les accolades, les crochets, les chevrons, les deux tirets, les guillemets.

L'insertion d'un blanc avant les deux-points et le point-virgule est répandue ; cette pratique présente cependant un inconvénient appréciable quand ces signes sont rejetés à la ligne, faute d'espace, par le traitement de texte utilisé. Les typographes n'insèrent qu'une espace fine. Cependant, ces signes sont toujours suivis d'un blanc.

Certaines des caractéristiques du phénomène de l'absorption de signes par la présence d'un blanc de début de phrase et par d'autres signes dits de rang supérieur sont constantes ; un signe simple ou l'un des membres d'un signe double peut ne pas être maintenu dans ces conditions.

Le tableau placé à la fin de la première partie résume ces observations.

Chapitre 1

Le point

Examinons le texte suivant :

> l'avoine est la céréale la moins exigeante que
> l'on connaisse elle pousse aussi bien dans les sols
> argileux et sur les terrains fraîchement défrichés
> que dans les terres marécageuses asséchées

Sans ponctuation aucune, ce texte est difficile à lire ; pour y arriver, le lecteur doit rétablir, du moins mentalement, la ponctuation nécessaire. Le point est le signe qui permet de diviser le texte en phrases successives.

On peut isoler des phrases comme suit, en observant la distribution SVO :

> l'avoine est la céréale la moins exigeante que
> l'on connaisse. elle pousse aussi bien dans les
> sols argileux et sur les terrains fraîchement
> défrichés que dans les terres marécageuses
> asséchées

C'est par convention que le premier mot d'un texte, quel qu'il soit, commence par une majuscule et que le premier caractère du mot suivant un point de phrase prend de même la majuscule. (Cette convention ne doit pas faire oublier que la majuscule est normalement réservée aux noms propres, simples ou composés, comme dans *Québec, États-Unis,* ou *Haïtien, Latino-Américain.*) Il faut enfin ajouter un point, ou un signe de même rang (c'est-à-dire le [?], le [!] ou les [...]), après la dernière phrase, même si ce n'est plus pour marquer la relation entre deux phrases :

> L'avoine est la céréale la moins exigeante que l'on connaisse. Elle pousse aussi bien dans les sols argileux et sur les terrains fraîchement défrichés que dans les terres marécageuses asséchées.
>
> **Jean Provencher**
> *Les Quatre Saisons dans la vallée du Saint-Laurent*

Ces deux phrases, nous venons de le vérifier, ont une caractéristique commune : elles respectent la distribution « naturelle » de la phrase française, SVO, et n'ont pas à recevoir d'autres signes de ponctuation.

La phrase peut être réduite, c'est-à-dire ne comprendre qu'une partie de SVO. Un procédé littéraire bien connu consiste à employer des résidus de phrases en lieu et place de phrases, surtout dans l'œuvre de fiction. L'effet recherché est de rendre le style « alerte, vivant ». En voici des exemples :

> Mes jupes sont pleines de boue. Mon corsage est décousu. Nous courons tous les deux. À perdre haleine. Sur la grève mouillée. Tombons dans les joncs. Les petites flaques d'eau vertes qui éclatent sous notre poids.
>
> **Anne Hébert**
> *Kamouraska*

Culottés comme c'est pas permis de l'être, tutoyant parfois leurs supérieurs!...

Claude Duneton
Je suis comme une truie qui doute

Remarques

Dans un titre d'ouvrage, la phrase ne prend pas de point :

Faites chauffer la colle (San-Antonio)
Un beau jour, le rabbin a acheté une croix (H. Kemelman)
Le Rouge est mis (A. le Breton)
Je suis comme une truie qui doute (C. Duneton)
Je suis amériquoise (J. Dugas)
Excusez les parents (P. Ferran)
La Nuit qui ne finit pas (A. Christie)
Donnez-moi cinq minutes (J. Cassells)
Ce que parler veut dire (G. Gilliot)

Ceci conforte notre analyse : le point ne sert qu'à séparer des phrases. Une phrase isolée ne prend donc pas de point. De semblables phrases isolées sans point se trouvent dans d'autres contextes comme dans le titre d'un chapitre (en gras) ou un sous-chapitre (en italique), comme ci-dessous :

Chapitre 6

Une guérison qui ne guérit pas tout

[...]

Il n'aura pas duré plus longtemps que les autres

Alain Peyrefitte
Le Mal français

Le point d'interrogation, le point d'exclamation et les points de suspension indiquent des valeurs d'énonciation qui ne sont pas neutres : interrogation, injonction ou exclamation, assertion (modulée dans le cas d'une phrase ponctuée par des points de suspension). À la différence du point, ces signes de ponctuation sont marqués et doivent être inscrits, même dans les titres d'ouvrages :

Et si l'on parlait français ? (A. Gilder)
Parlez-vous franglais ? (Étiemble)
Le Français des Canadiens est-il un patois ? (E. Martin)
Nos Enfants parleront-ils français ? (G. Bibeau)
Et si l'on écrivait correctement le français ? (M. Massian)

Édouard, ça m'interpelle ! (J.-L. Chiflet et P. Leroy)
Arrêtez le folklore ! (J. Douglas)
Apprenons l'orthographe ! (E. Tribouillois)
Que vive l'orthographe ! (J. Leconte et Ph. Cibois)
Chérie, passe-moi tes microbes ! (San-Antonio)

Attendez que je me rappelle... (R. Lévesque)
Le Major parlait trop... (A. Christie)
Fais pas dans le porno... (San-Antonio)
Argotez, argotez... (A. le Breton)
Aimez-vous Brahms... (F. Sagan)

Le rôle du point et celui des points de rang semblable, le point d'interrogation, le point d'exclamation et les points de suspension, de ce point de vue, se confondent. Ces derniers sont en relation, également de façon « interne », avec la phrase qu'ils terminent – on interroge, on s'exclame et on laisse supposer des choses ; dans le cas où une phrase suit, ils servent également de démarcation de la phrase suivante. Dans le même ordre de valeurs, le point, lui, n'est pas vraiment considéré comme la conclusion d'une assertion, mais comme un séparateur de phrases.

Il est intéressant de noter que le point ne peut être doublé [..], ou même triplé [...], ce qui le ferait alors confondre avec les points de suspension ; quand les trois points de suspension sont eux-mêmes augmentés d'autres points, il y a risque de les confondre avec les points de conduite [....................]. (Voir le chapitre de la spatialisation du texte.)

Nous verrons à la suite de l'étude détaillée de ces signes que le point n'est pas en cooccurrence avec le point d'interrogation et le point d'exclamation : on ne peut avoir [.?] ou [.!]. Cette cooccurrence ne se produit que s'il s'agit d'une forme citée, dans un seul sens :

> « On ne doit jamais omettre le ?. »

> « Il n'est pas toujours nécessaire d'indiquer le !. »

Cette façon de faire n'est toutefois pas désirable, encore moins dans le cas des points de suspension, ce qui fournirait une lecture ambiguë : « On ne doit jamais omettre les.... »

La même citation peut être reprise comme suit :

> « On ne doit jamais omettre les [...]. »

La suppression des majuscules, en contradiction avec les conventions de la ponctuation ou de la graphie des noms propres, se conçoit mal. Mis à part les rares productions heureuses où joue le « tout-en-minuscules », dans la raison sociale, la publicité, certaines œuvres littéraires, cette suppression, invoquant un certain égalitarisme, est injustifiable et vouée à l'échec.

TEXTES MODÈLES

La ville n'est pas sûre en ce moment. Plus moyen d'en douter maintenant. On m'observe. On m'épie. On me suit. On me serre de près. On marche derrière moi.

Anne Hébert
Kamouraska

Un des mythes les plus connus de l'amour est probablement celui qui affirme l'existence d'un partenaire amoureux pour chaque personne.

Clémence Préfontaine
Le Roman d'amour à l'école

Chapitre 2

Le point d'interrogation

Le point d'interrogation, qui correspond à un schéma d'intonation montant à l'oral, se substitue au point dans certaines phrases interrogatives. On distingue deux sortes de phrases interrogatives : les interrogatives indirectes et les interrogatives directes. Les premières sont du genre :

> Demande-lui s'il y a des blessés.
>
> Paulette ne sait pourquoi elle a agi de la sorte.

Ces phrases, qui ne correspondent pas à une intonation montante, gardent le [.], sans substitution possible par un [?].

En revanche, le point d'interrogation se substitue au point dans les phrases interrogatives directes. Ces phrases contiennent des indices repérables et, dans chacun des cas, sont néanmoins soumises à des conditions spécifiques favorables ou non au marquage de l'interrogation. En voici la liste.

1. Des mots dits interrogatifs, facilement identifiables : par exemple, *qui, quoi, quand, comment* :

> « Il lit quoi ?... »

Claude Duneton
Je suis comme une truie qui doute

> Et une fille marin, comment ça s'appelle ? Une marine ?

Marina Yaguello
Le Sexe des mots

> « Quand t'as parlé avec Vaugeois ? »

Louis Caron
Le Canard de bois

2. L'inversion d'un pronom sujet est un autre indice :

> Où es-tu ? dit le songe.

Saint-John Perse
Amers

3. La présence de la locution interrogative *est-ce que* :

> — Est-ce qu'on voit les passants quand on dort ?

Prosper Mérimée
« Mateo Falcone », dans *Colomba*

4. La reprise du nom, propre ou commun, par un pronom de la troisième personne :

> Marie se sent-elle prête ?
> Les enfants sont-ils à l'école ?

5. À l'oral, deux particules interrogatives s'utilisent après le verbe, l'auxiliaire ou le modal. Ce sont *tu*, dans le français parlé au Québec, et *ti*, dans le français acadien et dans le français hexagonal (le français parlé en France) :

> Elle vient-tu ?/Elle vient-ti ?
> Tu viens-tu ?/Tu viens-ti ?
> J'y vas-tu ?/J'y vas-ti ?
> Les enfants sont-tu allés à l'école ?/Les enfants
>   sont-ti allés à l'école ?
> On doit-tu y aller ?/On doit-ti y aller ?
> Léa souffre-tu beaucoup ?/Léa souffre-ti beau-
> coup ?

Voici des exemples tirés d'œuvres littéraires :

> — Pitou ?
> — Oui, minou.
>   Tu m'aimes tu ?
> — Oui.
> — Oui quoi ?

Johanne Letourneux
« La déverse », dans *Stop*

> — Tu Dieu ! lança-t-elle. C'est-y une heure pour arriver chez les gens ? Un peu plus, tu te faisais prendre par la nuit !

Louis Caron
Le Canard de bois

Ces particules sont souvent transcrites par *ti* ou *ty* (orthographiées encore *t'i*, *t-i*, *t'y*, *t-y*...) pour ne pas faire double emploi avec le pronom *tu* (*cf.* Blanche Benveniste, 1987 et Poplack, 1984).

À la différence de la reprise pronominale qui est réservée aux noms et groupes nominaux de la troisième personne, la particule figée *ti/ty* convient de plus aux pronoms personnels de la troisième personne ; enfin, cette particule est imperméable aux variations de genre et de nombre.

6. Quand il n'y a pas d'indice présent dans la structure de la phrase pour le repérage de l'interrogation, c'est-à-dire pas de mot interrogatif, pas d'inversion, la valeur interrogative dépend de l'énonciation dans un contexte favorable. La phrase assertive change simplement de statut. Voici un exemple :

> « Tu veux le lire, ce livre ? »

Raymond Queneau
Les Œuvres complètes de Sally Mara

Dans ce cas particulier, il arrive souvent que des formules toutes faites, plus ou moins figées, viennent signaler le caractère interrogatif de la phrase :

> Vous y croyez, vous ?
> Vous permettez ?
> Tu disais donc ?

7. Les mots-phrases abondent dans l'œuvre de fiction :

> Non ?
> Alors ?
> Hein ?

Remarques

Une espace fine sépare le point d'interrogation du texte qui le précède.

L'interrogation peut être indiquée simultanément par un mot interrogatif et l'inversion du pronom sujet :

> Quand reviendrez-vous ?

ou par un mot interrogatif suivi d'une particule interrogative :

> Quand c'est-tu que tu me rembourses ?

Il est intéressant de noter que l'inversion du nom sujet pour former une phrase interrogative, en soi impossible, ne peut s'effectuer qu'en conjonction avec un mot interrogatif :

> Combien vaut cette chemise ? (et non : Vaut cette chemise combien ?)

Quand on rapporte du discours direct, le point d'interrogation se place immédiatement après les éléments interrogés avant la phrase incise construite par inversion du sujet nominal ou pronominal, comme dans :

> « Vous accepterez bien de trinquer avec moi avant de partir ? » m'a-t-il demandé.

Gérard Bessette
Le Libraire

À ce propos, des incises avec inversion n'en conservent pas moins leur valeur assertive :

> Dans la Rome antique, un produit fermenté à base de poisson, le garun, était consommé par les athlètes et les gladiateurs auxquels il donnait, dit-on, leur forme légendaire.

Claude Aubert
Une autre assiette

Des locutions figées comme *que veux-tu/que voulez-vous, vois-tu/voyez-vous, n'est-ce pas*, qui ont la forme d'une interrogative directe, en ont perdu le sens et s'emploient davantage sans le point d'interrogation :

> Que voulez-vous, je ne suis pas armé pour lutter contre ça, je me sens comme un pion surpris sur une diagonale de fou.

Stéphane Bourguignon
L'Avaleur de sable

Dans l'exemple suivant, aucune réponse n'est attendue ; la phrase ne peut être une question... :

> Il la grondait : « Avez-vous donc entrepris de peupler toute seule la Petite Poule d'Eau !... »
>
> **Gabrielle Roy**
> *La Petite Poule d'Eau*

Le cas de l'expression *n'est-ce pas* est plus compliqué :

> « Vous y croyez, n'est-ce pas ? »
>
> **Gérard Bessette**
> *Le Libraire*

En effet, cette expression peut jouer le rôle d'un déclencheur de l'interrogation de phrase tout comme *est-ce que, n'est-ce pas que...* et provoquer le signe d'interrogation même à distance :

> Après la mort, n'est-ce pas comme avant la vie : noir, vide et silencieux ? N'est-ce pas comme au milieu d'un tronc d'arbre foudroyé ?
>
> **Sylvain Trudel**
> « Mourir de la hanche », dans *Liberté*

Dans le cas de structures interrogatives identiques qui se répètent, on peut n'inscrire qu'un point d'interrogation entre des phrases consécutives ; la virgule dans l'exemple qui suit prend alors la valeur du point d'interrogation :

> Était-il un bon gros, était-il un ange ?
>
> **Umberto Eco**
> *La Guerre du faux*

[34]

Des auteurs d'œuvres de fiction inscrivent, pour obtenir des effets spéciaux, des séquences de points d'interrogation [??], [???] et même davantage :

> — Tu sais qui c'est le type avec qui tu causes ?
> — Non ???

Lili Gulliver
L'Univers Gulliver, 1. Paris

> — C'est vrai ???? Oh, je suis contente, soulagée enfin...

Hubert Aquin
L'Antiphonaire

Une autre utilisation du point d'interrogation vient de l'usage qu'en font les linguistes et des enseignants de langues, ou en formation des maîtres, pour souligner le caractère douteux de la syntaxe ou du sens d'une phrase ; dans ce cas, le signe précède l'énoncé :

> Rêver d'une personne
> Rêver à quelque chose
> ? Rêver à une personne

Les particules interrogatives *tu/ti* n'ont pas toujours une valeur interrogative ; dans l'exemple suivant, *tu* est mis pour *t'il* :

> Y'a-tu eu une chicane ?

Michel Tremblay
Les Belles-sœurs

comme *t-i'*, ou *t-y* dans les exemples suivants, qui s'utilisent également dans les phrases affirmatives :

— Quoi c'est que le hourvari ? J'avons-t-i' plus aucun respect des morts, à l'heure qu'il est ?

Antonine Maillet
Pélagie-la-Charrette

« Suis-je vierge ou ne le suis-je-t-y plus ? »

Raymond Queneau
Les Œuvres complètes de Sally Mara

TEXTES MODÈLES

Et, là ! que voulions-nous dire, que nous n'avons su dire ?

Saint-John Perse
Amers

« Tu ne vas tout de même pas manger ce mille-feuilles à toi tout seul ? »

Michèle Nevert
Devos, à double titre

« Sont-ce là toutes les prières que tu sais ? »

Prosper Mérimée
« Mateo Falcone », dans *Colomba*

On avait-i point assez de se reconquérir un pays et un logis sans déjà commencer à se chicaner sur les meubles ? Et c'était-i pour un coffre, asteur, ou un placard...

Antonine Maillet
Pélagie-la-Charrette

Chapitre 3

Le point
d'exclamation

Le point d'exclamation est une sorte de codage de certains contours d'intonation de la phrase, semblable au procédé qui vaut pour l'interrogation. Il s'agit de « traduire » l'étonnement, la stupéfaction, la surprise, l'emportement, l'émerveillement, la peur, etc. C'est un signe plus « pragmatique » que syntaxique. En voici un exemple :

> « Il faut célébrer ma femme et mon fils ! Une fête à tout casser ! Sonnez les cloches ! Carillonnez les verres. Ding ! Dong ! Je suis un homme fou ! »

Anne Hébert
Kamouraska

Il s'emploie encore pour marquer une apostrophe, une injure, un juron, une imploration, un cri de guerre, un cri de chasse, une acclamation, une injonction, un ordre, une invraisemblance, une prière, un souhait, une ironie, une imprécation, une malédiction, un anathème ; « toute phrase forte, destinée à être proférée avec violence ou emphase, [...], exprimant une interdiction

absolue, [...], un sentiment d'horreur, un reproche [...] ».
(*cf.* Drillon, p. 356-361) :

> « Oh ! mon père, grâce ! pardonnez-moi ! Je ne
> le ferai plus ! Je prierai tant mon cousin le capo-
> ral qu'on fera grâce au Gianetto ! »

Prosper Mérimée
« Mateo Falcone », dans *Colomba*

Le signe d'exclamation s'exploite beaucoup comme signe du mot. (Voir la description de ce signe dans ce chapitre.)

Remarques

Comme dans le cas du point d'interrogation, des auteurs se servent de séquences de points d'exclamation, [!!], [!!!] ou davantage, pour des effets spéciaux :

> « !! À quoi voyez-vous que ce sont des thons ? !!
> Vous ne trouvez pas qu'ils me ressemblent
> étrangement ? »

Michèle Nevert
Devos, à double titre

> — Regarde pour voir.
> — Oooooooooooooooooh !!!

Dany Laferrière
Comment faire l'amour avec un Nègre sans se fatiguer

TEXTES MODÈLES

Et selon les circonstances, les lieux et les sociétés, on dit avec des intonations, des gestes, et des œils divers : « Oh ! laisse-moi voir, hein ? je t'en prie, que j'y touche un peu, dis donc. Oh ! montre-moi ton teton ! montre-moi ton teton !!! »

Gustave Flaubert
La Tentation de saint Antoine (cité par Drillon, p. 365)

« Tu Dieu ! Entre ou sors ! Et ferme la porte ! Si le bon Dieu veut se chauffer, il n'a qu'à faire l'hiver moins froid ! »

Louis Caron
Le Canard de bois

Quand on a vu *Le Parfum* sortir de la sacoche du prof, on a d'abord cru à l'apparition d'un iceberg !

Daniel Pennac
Comme un roman

« Imbécile! Incroyable! Mon Dieu! Mon Dieu! Voyons! Mais...! C'est bientôt à toi, à toi! Va vite te changer... Viens! Vite! Suis-moi! »

Réjean Ducharme
L'Avalée des avalés

CHAP.
3
[**!**]

[39]

Chapitre 4

Les points de suspension

Ils sont composés de trois points consécutifs. Comme l'apostrophe, c'est un signe d'élision. Il indique que du matériel linguistique a été soustrait dans la phrase pour l'une ou l'autre des principales raisons suivantes :

1. Un auteur juge que la suite d'une énumération, composée d'éléments du même ordre, est peu importante et qu'il désire en épargner la lecture ; il la termine abruptement par trois points de suspension :

> Il était pernicieux, moi monstrueuse, affreuse, indigne...
>
> **Hubert Aquin**
> *l'Antiphonaire*

2. Dans une citation, du texte – un ou plusieurs mots – a été retiré ; l'auteur insère à cet endroit les trois points entre parenthèses (...). L'éditeur utilisera les crochets [...] dans le cas où il retire quelques mots ou une portion plus importante de texte :

Les indigènes ne cultivent aucune plante. [...] Très inférieurs, par leur constitution physique et par leur industrie, aux habitants de l'île Ségalien, ils n'ont pas, comme ces derniers, l'usage de la navette et ne sont vêtus que d'étoffes chinoises les plus communes et de dépouilles de quelques animaux terrestres ou de loups-marins.

J.-F. de Lapérouse
Voyage autour du monde

3. L'interlocuteur a été interrompu ou s'est interrompu volontairement :

— Ce n'est pas moi qui vous ai fait partir ? Vous veniez d'arriver.
— Et vous ?
— Moi ? d'arriver ? Je... je...
Il m'avait suivie, le benêt.

Raymond Queneau
Les Œuvres complètes de Sally Mara

4. L'auteur du texte indique que l'interlocuteur ne dit rien :

— Ta gueule. Je fais ce que je fais. Je me suis tout le temps défendue. Il n'y avait personne d'autre pour le faire.
— ...
— Je vais me coucher. Tu viens ?

Francis Dupuis-Déri
Love & Rage

5. Une autre valeur des points de suspension est extralinguistique : ils servent à indiquer que le locuteur marque une hésitation et que la narration est rompue, pour toutes sortes de raisons, pendant un certain laps de temps :

« La plus noble conquête de l'homme, c'est le cheval, dit le Président... et s'il n'en reste qu'un, je serai celui-là. »

Jacques Prévert
Paroles

La culture artistique et littéraire de Matisse entend associer un goût, manifestement français et classique, à l'expression heureuse d'un tempérament qui n'est ni sans violence... ni sans génie.

Marcelin Pleynet
Henri Matisse

CHAP.
4

[...]

Remarques

Des écoliers, à la suite de leurs instituteurs, ont tendance à dire « le » point de suspension : on voudrait ainsi faire rappeler que ce signe est composé de trois points consécutifs et non d'une suite aléatoire de points... On désigne peut-être ce signe au singulier par analogie avec les appellations « le point-virgule » et « le deux-points ». Il est cependant recommandé de dire « les » points de suspension ; l'appellation « les points suspensifs » est désuète et plus rare.

Il est assez facile de trouver des contextes où les points de suspension peuvent être remplacés par « etc. ». L'emploi conjugué de « etc. » avec les points de suspension, « etc.... » ou « etc... », est cependant fautif : c'est l'un ou l'autre !

Les points de suspension qui suivent un autre signe de ponctuation ne sont pas séparés par un blanc. Après un mot abrégé par un point, il faut cependant un blanc entre ce point et les points de suspension :

> Les choses allaient ainsi au XVe s. ...

Les points de suspension ne doivent jamais prendre le sens d'une devinette, d'une colle posée au lecteur ou encore laisser supposer que l'auteur a des pertes de mémoire. Dans tous les cas, l'interprétation des points de suspension de ce genre ne peut être que négative, voire une insulte à l'intelligence du lecteur !

Il est bon de rappeler que le point séparateur de phrases est élidé quand il suit les points de suspension :

> Dans ce centre de récréation, on peut pratiquer toutes sortes de sports : le basketball, le tennis, le volleyball...

TEXTES MODÈLES

Le sergent vocifère :
— Garde à vous !... Arme sur l'épaule... droite !

Jules Romains
Les Copains

« ALLO !... Oui, oui, c'est moi... Quoi ?... Quand ?... Cet après-midi vers six heures ?... Bon... Vous dites ?...On ne l'a retrouvé que ce soir ?... Aucun indice, aucune trace ? Vous soupçonnez personne ?... C'est bien. Je m'occupe de l'enquête... Oui, oui, poursuivez vos recherches de votre côté... et tenez-moi au courant de tout... Salut. »

Marcel Dubé
Zone

— Venez chez moi, je vous invite, je vous ferai un cadeau, propose-t-elle.
— Quelle sorte de cadeau ?
— Un cadeau comme on ne vous en a jamais fait.
— ?...
— Vous allez assister à mon suicide.

Walter Lewino
La Folle de Bagnolet

« Merci pour Mme Alderton, souffla-t-elle. Vous savez... Tout s'est passé entre Mme Alderton et Dubaille... Il n'y a que quelques mois qu'elle m'a tout avoué... Je n'ai pas été complice... j'ignorais tout. »

CHAP.
4
[...]

Léo Mallet
Dernières Enquêtes de Nestor Burma

Chapitre 5

Le point-virgule

Le point-virgule met des phrases en relation. Pour bien s'en rendre compte, il faut réviser préalablement une notion fondamentale de la grammaire, la juxtaposition de phrases. « La juxtaposition établit entre les phrases des rapports sémantiques variés qui proviennent du contenu sémantique des phrases, de leur construction ou de leur ordre dans la phrase dérivée. Ces rapports sont ceux que l'on retrouve dans la coordination ou dans la subordination. » (*cf.* Gobbe et Tordoir, p. 133.)

1. En français, le statut de la phrase se décide en vérifiant la présence d'un verbe conjugué en personne – ce qui élimine l'infinitif et le participe, présent et passé. Un seul verbe conjugué est le fait de la phrase simple ; des phrases simples peuvent être coordonnées ou juxtaposées. La coordination de phrases peut se faire par des joncteurs ou marqueurs simples (appelés aussi des conjonctions de coordination), *mais, ou, et, donc, car, ni, or,* qui peuvent entraîner l'inscription d'une virgule. En revanche, des adverbes de coordination, ou joncteurs

corrélatifs, révèlent le plus souvent des phrases juxtaposées séparées par un point-virgule :

plus [...] ; plus [...]
plus [...] ; moins [...]
les uns [...] ; d'autres [...]
les uns [...] ; les autres [...]
tantôt [...] ; tantôt [...]
tant [...] ; tant [...]
autant [...] ; autant [...]
tel [...] ; tel [...]
etc.

Voici des exemples :

Les uns concluent que Georgina a été la proie
d'une hallucination ; d'autres estiment plutôt
que leur belle voisine est un champ de canne à
sucre qui n'a pas été arrosé dans les derniers
temps et qui hurlait à la bénédiction de l'eau
fraîche et mâle !

René Depestre
Alléluia pour une femme jardin

Plus la religion du devoir s'amenuise, plus nous
consommons de la générosité ; plus les valeurs
individualistes progressent, plus les mises en
scène médiatiques des bonnes causes se multi-
plient et font audience.

Gilles Lipovetski
Le Crépuscule du devoir

2. La coordination de deux phrases simples peut être
marquée par la virgule ou par un joncteur approprié,
mais la juxtaposition de ces mêmes phrases est le fait
spécifique du point-virgule. Une étroite relation existe –
fait peu remarqué – entre le point-virgule et les deux-

points : quand ces signes séparent deux phrases simples, ces phrases sont dites juxtaposées pour marquer des rapports de parallélisme, d'opposition, de contraste, comme dans les exemples suivants :

> Le religieux procède du sacré ; le politique ne peut s'en passer.
>
> **Alain-Gérard Slama**
> *L'Angélisme exterminateur*

> La montre a cessé d'être signe de pouvoir ; le détenteur de montres ne peut plus qu'être à l'heure.
>
> **Jacques Attali**
> *Histoires du temps*

3. Le point-virgule peut encore marquer la relation étroite entre des moments différents d'une même action, qui se reconnaît par des marques syntaxiques évidentes comme des pronoms ou des déterminants en coréférence :

> On les invite à entrer ; ceux-ci ne se laissent pas prier.
>
> **Jean Provencher**
> *Les Quatre Saisons dans la vallée du Saint-Laurent*

> Les fausses gardes sont des feuilles blanches qui précèdent et suivent la partie imprimée ; leur rôle est de protéger tout en habillant le texte.
>
> **Oscar Beausoleil**
> *Reliure-dorure*

> « Il y a du bon là, dit-il en se frappant le cœur ; je n'ai jamais trahi personne ! »
>
> **Honoré de Balzac**
> *Le Père Goriot*

CHAP.
5
[;]

4. L'emploi du point-virgule est en quelque sorte figé dans une énumération de type vertical (comme une pile d'objets) :

> Mais les vieux éléphants, les vieux sages, savent quelque chose de plus : ils savent combien de crottes fait un éléphant entre sa naissance et son cinquantième anniversaire :
> au cours de la première année, 365 x 1, soit 365 ;
> au cours de la deuxième année, 365 x 2 ;
> au cours de la troisième année, 365 x 3...
> et ainsi de suite et cætera.
> Au total, 465 375 crottes d'éléphant !

Helme Heine
Un éléphant, ça compte énormément

> Dans un texte contenant des règles du jeu, on peut trouver les composantes suivantes :
> — Les origines du jeu ;
> — Des schémas illustrant un ou plusieurs aspects du jeu ;
> — Le matériel nécessaire au jeu ;
> — [...] Les variantes.

James Rousselle *et al.*
Nouveaux Parcours, 2e itinéraire, première étape : Stratégies

> L'amant erre sans cesse entre ces trois idées :
> 1. Elle a toutes les perfections ;
> 2. Elle m'aime ;
> 3. Comment faire pour obtenir d'elle la plus grande preuve d'amour possible?

Stendhal
De l'amour

5. Il existe des énumérations de type horizontal comme suit :

> On avait invité tous les parents des deux familles ; on s'était raccommodé avec les amis brouillés ; on avait écrit à des connaissances perdues de vue depuis longtemps.

Gustave Flaubert
Madame Bovary

> Si vous êtes pierre, soyez aimant ; si vous êtes plante, soyez sensitive ; si vous êtes homme, soyez amour.

Victor Hugo
Les Misérables

> Ainsi, un bon quart de la France se compose-t-il, aux yeux des Anglais, de bouchers chevalins et de boucheries chevalines ; deux autres quarts étant représentés par les escargotières et par les grenouillères ; et le dernier, par des vespasiennes composées de tourelles et de créneaux.

Alexandre Vialatte
Éloge du homard et autres insectes utiles

> Et Jean avait pris l'habitude de peser les nombreux amants de sa mère sur sa balance à lui : deux sous, quand elle ne poussait qu'un petit gémissement ; cinq, quand elle allait jusqu'au cri ; dix, quand elle se mettait à chanter.

Noël Audet
Frontières ou Tableaux d'Amérique

CHAP.
5
[;]

6. Une conjonction peut marquer non plus la coordination (avec ou sans virgule) mais la juxtaposition ; dans ce cas, la conjonction, ici *mais,* est précédée d'un point-virgule :

> Le chercheur d'or montait vers elle ; à travers l'épaisseur des ramures, il aurait pu sans doute distinguer quelque chose, s'il avait su qu'elle était là ; mais il marchait toujours à pas lents, en regardant le sol à ses pieds.

Marcel Pagnol
Manon des sources

Remarques

Le point-virgule se dit aussi le « point et virgule ».

Ce signe est toujours suivi d'une espace ; il peut être précédé d'une espace fine. Les traitements de texte modernes ne font pas de distinction entre espace et espace fine pour n'attribuer que la valeur d'un blanc, avec l'inconvénient que le point-virgule peut être déporté au début de la ligne suivante, à moins d'être protégé.

Des joncteurs corrélatifs ne sont pas séparés du point-virgule, mais d'une virgule ; par exemple :

> si [...], c'est que [...]
> non seulement [...], mais encore [...]

Ce signe, dans la presse écrite francophone nord-américaine, a presque disparu. Drillon, dans son *Traité de la ponctuation française,* fait une constatation plus générale : « En tout état de cause, c'est un signe qu'on délaisse de plus en plus fréquemment. » (p. 367) « On s'interroge sur le sort du point-virgule. Il semble que son espérance de vie ne soit pas très longue. » (p. 376)

TEXTES MODÈLES

La fidélité revendiquée de nos jours a perdu toute dimension d'inconditionnalité ; ce qui est valorisé, ce n'est pas la fidélité en soi, mais la fidélité le temps qu'on s'aime.

Gilles Lipovetsky
Le Crépuscule du devoir

J'ai volé, j'ai trahi, j'ai corrompu des enfants ; je me suis livré à tous les vices.

André Langevin
Évadé de la nuit

Une loi prohibitive vient d'être promulguée ; le tabac de chaque particulier a été arraché et confiné dans des champs où on ne le cultive plus qu'au profit de la nation.

Jean de Lapérouse
Voyage autour du monde

La chambre, elle aussi, lui parut une chambre de personnes distinguées ; les carrés de guipure mettaient une sorte de probité sur les chaises ; le tapis, les rideaux, les vases de porcelaine à paysages, disaient leur travail et leur goût du confortable.

Émile Zola
Le Ventre de Paris

CHAP.
5
[;]

Quand il fut au bord du glacier, il s'arrêta, se demanda si le vieux avait bien pris ce chemin ; puis il se mit à longer les moraines d'un pas plus rapide et plus inquiet.

Guy de Maupassant
Contes

On trouve les amoureuses éplorées : Colombine, Isabelle ; les amoureux transis : Léandre, Valério, Pierrot ; les serviteurs rusés et filous (lazzis) : Arlequin, Brighella, Pulcinella ; les vieux toujours dupés : le Docteur, Pantalon, Capitan.

Jean-Guy Sabourin
En scène, tout le monde !

Soudain, la jument ralentit son allure, comme si son pied avait buté dans l'ombre ; Meaulnes vit sa tête plonger et se relever par deux fois ; puis elle s'arrêta net, les naseaux bas, semblant humer quelque chose.

Alain-Fournier
Le Grand Meaulnes

Chapitre 6

Les deux-points

Les deux-points, qu'on appelle aussi « le deux-points », comme on dit le point-virgule, sont un signe qui sert à distinguer deux phrases juxtaposées, tout comme ce dernier.

1. La relation privilégiée entre les phrases juxtaposées par des deux-points en est une d'explication : la première phrase est suivie d'une phrase explicative. Il est bien évident que la phrase explicative n'a qu'un sens : la phrase explicative ne peut précéder la phrase « expliquée » (qui est l'objet d'une explication). À l'oral, on obtiendrait le plus souvent au début de la phrase explicative des expressions comme *c'est-à-dire, il faut comprendre, comme dans, par exemple* .

> Tout comme le dindon, la dinde prend un sens péjoratif : une dinde est une femme prétentieuse et sotte ; un dindon est un homme stupide et niais (le dindon de la farce) : pour une fois, il y a égalité dans la dérive du sens.
>
> **Marina Yaguello**
> *Le Sexe des mots*

2. On présente souvent les deux-points comme le signe par excellence de l'énumération. Cela est vrai, mais on ne dit pas qu'il ne s'agit que d'un cas particulier de juxtaposition de phrases, dont les éléments à droite des deux-points sont le résidu de phrases complètes (comme dans l'exemple à la page 55 illustrant une liste dont les éléments sont séparés par un point et virgule). Voyons de près la phrase qui suit : la redondance peut équivaloir à une sorte d'emphase difficile à justifier :

> J'aime les légumes à saveur marquée : j'aime la carotte, j'aime le brocoli, j'aime le navet.

Elle peut être réduite comme suit :

> J'aime les légumes à saveur marquée : j'aime la carotte, le brocoli, le navet.

Elle peut être de nouveau réduite, et la formule résultante ne porte aucune trace de redondance :

> J'aime les légumes à saveur marquée : la carotte, le brocoli, le navet.

Dans cet exemple, les trois légumes sont des exemples de légumes qu'on aime, mais j'en aime d'autres. L'ajout de la conjonction *et* pour remplacer la dernière virgule peut indiquer qu'il s'agit d'une liste finie – je n'aime que ceux-là :

> J'aime les légumes à saveur marquée : la carotte, le brocoli et le navet.

3. Une autre fonction des deux-points concerne presque exclusivement le texte de fiction, dans lequel on exploite davantage le style du discours direct plutôt que celui du discours indirect. Voyons une phrase de discours indirect :

Il a dit qu'il allait vendre sa voiture.

Transposée en discours direct, elle donne ceci :

Il a dit : « Je vais vendre ma voiture. »

Remarque

Tout comme le point-virgule, les deux-points sont précédés d'une espace fine (le blanc qu'insèrent les typographes).

TEXTES MODÈLES

J'avais consacré mon été à apprendre la cuisine toute seule. Une sensation m'en était restée, inoubliable : j'avais l'impression que les cellules se multipliaient dans mon cerveau.

Banana Yoshimoto
Kitchen

Alors que nous nous apprêtions à partir pour le Japon, une autre amie nous prodigua mille conseils sur ce que nous devions emporter avec nous : sucre, conserves, potages en sachets, parce que, affirmait-elle, nous ne trouverions là-bas rien à manger.

Nina et Jean Kéhayan
Rue du Prolétaire rouge

CHAP.
6
[:]

[57]

Les habitants des oasis n'ont pas uniquement à leur disposition des plantes qui leur procurent la nourriture chaque jour, ils possèdent encore un auxiliaire précieux appartenant au règne animal : nous voulons parler du chameau, sans lequel, il n'y a pas encore très longtemps, la vie, le commerce et l'exploration du désert étaient impensables.

Émile Egli
Afrique — désert-steppe-forêt vierge

On craint qu'un enfant ne se noie en apprenant à nager : qu'il se noie en apprenant ou pour n'avoir pas appris, ce sera toujours votre faute.

Jean-Jacques Rousseau
Émile ou de l'éducation

C'est un fait que la plante a une attirance notable pour l'être humain : partout où celui-ci prend racine poussent des pissenlits.

Pierre Morency
L'Œil américain

Chapitre 7

Les virgules

Le cas le plus général de l'emploi des virgules correspond à la délimitation de mots ou groupes de mots de la phrase dont la distribution n'est plus dans cet ordre :

sujet-verbe-compléments

Pour l'essentiel, ce signe fonctionne à la manière des parenthèses, des accolades, des crochets et des tirets. L'existence de ce signe de ponctuation tombe sous le sens même si la tradition n'en a jamais fait une catégorie distincte. Doppagne (p. 84) restreint le rôle de ce signe – les virgules – à celui de marque de l'incise et de certains groupes de mots. Cet auteur et d'autres, en parlant de l'incise, qui n'est qu'un cas particulier de rupture de la séquence sujet-verbe-compléments, ont précisé qu'elle doit être « entre virgules », mais il s'agit pour eux de deux signes indépendants. L'analyse de Drillon (p. 195 et ss.) diffère : « Une incise peut être ou non encadrée de virgules. Mais il est impératif qu'elles forment une paire... »

De son côté, Zemb (p. 851) appelle les virgules « virgules-parenthèses » : « Qui parle de virgule-parenthèse se doit de distinguer ouverture et fermeture. Les lois d'absorption des signes de ponctuation veulent que la virgule initiale ou la virgule finale puissent faire défaut, leur fonction étant assumée par des signes de rangs supérieurs... ». On a souvent confondu les virgules avec la simple virgule à cause du fait suivant : comme le fait remarquer Zemb, tout mot ou groupe de mots encadré de virgules, quand il est dans le corps d'un texte, perd la virgule initiale s'il est au début de la phrase ; de la même manière, la virgule finale tombe quand le mot ou groupe visé termine la phrase.

Dans l'exemple qui suit, l'ordre de la phrase correspond bien à *sujet-verbe-compléments,* et seul le point (ou point final) est nécessaire :

> Montréal continue à être le foyer de la modernité dans le Québec francophone de l'après-guerre.

Le texte de départ est différent si l'un des compléments, ici un complément circonstanciel, ce qui est une sorte d'adverbe, est mis en relief par un déplacement au début de la phrase :

> Dans le Québec francophone de l'après-guerre, Montréal continue à être le foyer de la modernité.

Paul-André Linteau
Histoire de Montréal depuis la Confédération

On pourrait réécrire la phrase précédente comme suit :

> Montréal continue à être, dans le Québec francophone de l'après-guerre, le foyer de la modernité.

Si l'on déplace le groupe mis en relief au début de la phrase, la virgule de gauche saute, perdant sa justification en début de phrase ; l'exemple suivant est impossible :

> , Dans le Québec...

Voici des exemples d'un même adverbe entre virgules, l'un, au début d'une phrase, et l'autre, dans le corps d'une phrase :

> La maison du Six Quatre, inhospitalière aux pauvres gens, ne s'ouvrait que pour les riches. D'ailleurs, c'était tarifé : tant pour une fièvre typhoïde, tant pour une congestion, tant pour une péricardite et autres maladies que les médecins inventent par douzaines.
>
> **Jules Verne**
> *Frritt-Flacc*

> À vingt ans, d'ailleurs, les mauvais drôles de cette espèce peuvent très bien s'amender et deviennent parfois des jeunes gens fort sensibles.
>
> **Alain-Fournier**
> *Le Grand Meaulnes*

À la fin de la phrase, de la même manière, la virgule fermante tombe, absorbée par le point ou un signe d'égale importance.

Les virgules sont affaire de position ; leur rôle est essentiellement d'isoler des éléments qui rompent l'ordre standard SVO.

Toutes sortes de constituants peuvent se trouver dans cette situation. Nous examinerons la mise en relief de

CHAP.
7
[, ,]

noms, d'adjectifs, d'adverbes. La terminologie grammaticale est parfois imprécise dans les guides pédagogiques. Nous devrons apporter ci-dessous quelques précisions et expliquer notre propre interprétation de certaines fonctions grammaticales. Les fonctions assimilées se réduisent à l'adverbe, à l'adjectif, au nom.

Le nom ou le groupe nominal

1. Le nom – ou le groupe nominal – peut se présenter dans une position en relief ; il sera alors antéposé ou postposé au reste de la phrase et placé entre virgules. Rappelons que la première virgule, au début de la phrase, ou la seconde, devant un signe supérieur [.], [!], [?], [...], sont élidées. Voyons des exemples dans lesquels le nom est antéposé :

> Ma grand-mère, il était pas question que j'aille m'incruster dans son minuscule logement.

> **Alphonse Boudard**
> *Le Café du pauvre*

> Ils m'ont montré l'enfant. Ma chère, j'ai crié d'effroi : « quel petit singe ! ai-je dit. Êtes-vous sûr que ce soit mon enfant ? ».

> **Élisabeth Badinter**
> *L'Amour en plus*

> Permettez-moi de vous le présenter, reprit-il. Étudiant en médecine, garçon fort distingué, mais je dois reconnaître qu'il est très impressionnable.

> **Marcel Pagnol**
> *Pirouettes*

Dans les exemples qui suivent, le nom mis en relief est postposé :

> « C'est toi qui es venu, grand ? »

San-Antonio
Les Soupers du prince

> « Vous êtes-vous ennuyée de moi, Maria ? »

Louis Hémon
Maria Chapdelaine

> Vous avez auprès de vous un plus doux rayonnement et un plus grand mystère, la femme.

Victor Hugo
Les Misérables

2. Des cas de mise en relief du nom ou du groupe nominal s'observent dans le corps de la phrase, ce qui est plus rare. Elle correspond aux termes d'adresse dans une lettre, par exemple :

> Nous vous prions d'agréer, chère collègue, l'expression de nos sentiments distingués.

Cet emploi n'est pas restreint aux formules de politesse :

> Vous voyez, Messieurs, qu'avec de l'argent cet âne fut déclaré chrétien.

Honoré de Balzac
Le Père Goriot

3. Nous avons vu différents cas de mise en relief. Terminons par des exemples d'un embrayeur d'un

CHAP.
7
[, ,]

emploi très fréquent pour l'extraction de mots ou de groupes de mots de la phrase : il s'agit des suites constituées de ..., *c'est* ... ou ..., *ce n'est pas*..., dont l'élément verbal est susceptible de variation en mode et en temps, parfois en nombre :

> L'amour, c'est la salutation des anges aux astres.

Victor Hugo
Les Misérables

> Car l'humanisme, ce n'est pas de croire que les hommes sont identiques, c'est de savoir découvrir leur identité à travers les différences.

Marc Riboud
Journal

> Fuir, c'était retrouver la moraine, l'alpage, la forêt, la vallée et le chalet de bois au milieu des vergers. Fuir, c'était vivre.

R. Frison-Roche
Premier de cordée

4. Les compléments d'objet direct sont susceptibles d'être mis en relief. Voyons des exemples de compléments directs déplacés au début de la phrase :

> La Crise, je l'ai vécue et je m'en souviens.

Jean-Paul Desbiens
Sous le soleil de la pitié

> La fraîcheur, je l'entendais goutter sur chaque feuille et glisser le long des nervures.

Christophe Malavoy
D'étoiles et d'exils

5. La mise en relief du complément d'objet indirect est un procédé peu utilisé dans l'œuvre de fiction :

> De Chicago, G. Duhamel écrira dans les années trente qu'elle n'est qu'une demi-ville [...]

Jean-François Bacot
Ciné Die

L'adjectif ou le groupe adjectival

On peut de même mettre en relief l'adjectif ou le groupe adjectival.

L'adjectif – ou le participe passé – peut équivaloir à la réduction d'une proposition relative :

> Judith, qui était immobile, regardait dans la rue.
> Judith, immobile, regardait dans la rue.
>
> Judith, qui était accoudée à la fenêtre, regardait dans la rue.
> Judith, accoudée à la fenêtre, regardait dans la rue.

La proposition relative explicative, l'adjectif apposé, avec la phrase incise, sont des cas particuliers soumis à l'application de la règle des virgules.

La relative explicative s'oppose à la relative restrictive (ou déterminative).

La proposition relative explicative

Ce genre de proposition relative s'interprète comme une explication, d'où son nom. Elle est équivalente à un adjectif et rattachée à un nom, un pronom ou un groupe fonctionnant comme tel. L'adjectif-phrase relative peut

CHAP.
7

[, ,]

être supprimé sans que cela entraîne le non-sens de la phrase dont il fait partie. Les virgules encadrent ce genre de phrase :

> Mes sœurs, surprises, attendaient leur père.
>
> **Guy de Maupassant**
> *Contes*

> Des expériences sur des rats, qui avaient de la nourriture à volonté, ont montré qu'une simple diminution de leur ration journalière augmentait leur longévité de 40 %.
>
> **Claude Aubert**
> *Une autre assiette*

> J'accompagne mon cousin, qui voulait se faire arracher une dent.
>
> **Marcel Pagnol**
> *Pirouettes*

> Mais mon compagnon se précipita dans la grande classe, où je le suivis, et referma la porte vitrée juste à temps pour supporter l'assaut de ceux qui nous poursuivaient.
>
> **Alain-Fournier**
> *Le Grand Meaulnes*

La proposition relative restrictive ou déterminative

La proposition relative restrictive s'interprète comme un élément essentiel du sens de la phrase ; elle ne peut être supprimée et ne peut être encadrée de virgules :

> Tous ceux qui ont échoué à l'examen ont droit de reprise.

C'est ce que je veux dire.

À l'hôpital, le médecin militaire qui assurait la garde décela une scarlatine.

Nina et Jean Kéhayan
Rue du Prolétaire rouge

La levée d'une ambiguïté peut dépendre de la présence des virgules :

Les ouvriers, dont les blessures étaient graves, durent se présenter à l'infirmerie. (= tous les ouvriers)

Les ouvriers dont les blessures étaient graves durent se présenter à l'infirmerie. (= une partie des ouvriers)

On peut encore comparer :

J'ai des bonbons pour les enfants qui sont dans ma poche. (incorrect)

et

J'ai des bonbons, pour les enfants, qui sont dans ma poche.

Chambre à louer pour homme avec robinet. (incorrect)

et

Chambre à louer, pour homme, avec robinet.

Comme ces deux derniers exemples l'illustrent, la relative peut être réduite ; voici d'autres exemples :

La seconde lettre, commencée à onze heures, ne fut finie qu'à midi.

Honoré de Balzac
Étude de femme

CHAP.
7

[, ,]

[67]

Cette phrase est en réalité une réduction de :

> La seconde lettre, qui a été commencée à onze heures, ne fut finie qu'à midi.

La relative explicative ne peut être placée au début ou à la fin de la phrase que sous sa forme réduite à l'adjectif ou au participe passé comme dans les exemples suivants :

> Si riche que soit la palette du peintre, elle sera toujours inférieure à celle des réalités.

> **J.-H. Fabre**
> *Souvenirs entomologiques*

> Vénus rayonnait d'un éclat merveilleux, puis des étoiles s'allumèrent, timides encore.

> **Maurice Leblanc**
> *L'Aiguille creuse*

L'adverbe ou le groupe adverbial

L'adverbe simple ou l'adverbe complexe dont l'expression est le plus souvent associée à différents groupes prépositionnels et à des propositions circonstancielles peuvent être mis en relief.

Voyons les exemples suivants :

> Demain, nous irons au marché.
> Demain matin, nous irons au marché.
> Le plus tôt possible, nous irons au marché.
> Aussitôt qu'il sera ouvert, nous irons au marché.
> Après le déjeuner, nous irons au marché.
> Quand nous serons prêts, nous irons au marché.
> Au petit matin, nous irons au marché.

Dans ces phrases, ce qui précède *nous irons au marché* joue un rôle adverbial, indéniable, de temps. *Demain* est un adverbe simple tout comme les groupes qui suivent sont des adverbes complexes.

Il est évident que le complément circonstanciel n'est pas précédé d'une virgule dans la structure

sujet-verbe-compléments :

Nous irons au marché demain.
Nous irons au marché demain matin.
Nous irons au marché le plus tôt possible.
Nous irons au marché aussitôt qu'il sera ouvert.
Nous irons au marché après le déjeuner.
Nous irons au marché quand nous serons prêts.
Nous irons au marché au petit matin.

Au début de la phrase, les compléments circonstanciels peuvent prendre la forme d'un adverbe simple. Ils sont très nombreux ; en voici des exemples courants :

Ainsi,	D'ordinaire,
Alors,	Enfin,
Aujourd'hui,	Ensuite,
Auparavant,	Hier,
Aussi,	Là,
Bientôt,	Maintenant,
Bon,	Néanmoins,
Cependant,	Parfois,
Certes,	Pourtant,
D'abord,	Puis,
Décidément,	Quelquefois,
Déjà,	Soit,
Demain,	Souvent,
Donc,	Toutefois,
Dorénavant,	Vraiment,
Désormais,	

CHAP.
7

[, ,]

Là, ils sont cimentés, chair contre chair, [...]

Jean Giono
Regain

Maintenant, le quartier des Halles lui apparte-
nait ; il n'y avait plus de lacune dans sa tête ;
elle aurait raconté chaque rue, boutique par
boutique.

Émile Zola
Le Ventre de Paris

Jadis, la soupe accompagnée de pain était
l'essentiel du repas du soir [...]

Claude Aubert
Une autre assiette

Bref, Scipion regrettait fort d'être venu à Genève.

Albert Cohen
Mangeclous

Les compléments circonstanciels peuvent prendre la
forme d'un adverbe simple dérivé en *ment* :

Curieusement, dans les pays qui affrontèrent plus
ouvertement la catastrophe de Tchernobyl, les
citoyens prirent à cœur leur droit à la panique.

John Saul
Les Bâtards de Voltaire

Dernièrement, il s'est mis à faire parler les chats.

Alexandre Vialatte
Éloge du homard et autres insectes utiles

Graduellement, pendant que durait cette
épreuve d'humiliation, je sentais mon amour-

propre déjà prêt à me quitter, s'estomper encore davantage.

Céline
Voyage au bout de la nuit

Doucement, dans les viviers, on versait des sacs de jeunes carpes ; les carpes tournaient sur elles-mêmes, restaient un instant à plat, puis filaient, se perdaient.

Émile Zola
Le Ventre de Paris

Les compléments circonstanciels peuvent prendre la forme d'un adverbe complexe. Ils sont également très nombreux. En voici des exemples courants :

À ce moment,	En fait,
À l'occasion,	En fin de compte,
À la réflexion,	En haut,
Après tout,	En outre,
Au fond,	En peu de temps,
Au hasard,	En revanche,
Au large,	En rêve,
Au mieux,	En un instant,
Au reste,	En vérité,
Bien entendu,	Jusqu'alors,
Bien sûr,	Là-bas,
D'autre part,	Là-haut,
De loin,	Le lendemain,
De près,	Par contre,
D'habitude,	Par hasard,
D'ici,	Par moments,
D'une part,	Peu à peu,
Du reste,	Plus tard,
En arrière,	Sans doute,
En avant,	Sur le coup,
En bas,	Tôt ou tard,
En effet,	Tout de même,
En face,	Un jour,

CHAP.
/
[, ,]

Bien entendu, on en profita pour ne pas me
payer ma visite [...]

Céline
Voyage au bout de la nuit

Autrement dit, les pesanteurs sociales n'ont pas
été éliminées.

Rolland Cayrol
Le Grand Malentendu

Tout de même, j'ai résisté.

Raymond Queneau
Les Œuvres complètes de Sally Mara

À l'occasion, Devos assume une folie passablement
inquiétante.

Michèle Nevert
Devos, à double titre

En même temps, j'assurais votre sécurité.

France Bastia
L'Herbe naïve

On trouve des groupes commençant par une préposition, et dont la fonction est associée à celle d'un
adverbe de manière, de temps, de lieu, etc. Ces groupes
se mettent également entre virgules :

De son menton pointu, elle montre un vieil
immeuble délabré, de l'autre côté de la rue.

Sylvie Massicotte
L'Œil de verre

À terre, les marchandes des rues se partageaient des mannes de harengs et de petites limandes, achetées en commun.

Émile Zola
Le Ventre de Paris

Dans la morne solitude des prisons, les rêves deviennent grands comme des séquoias.

Chester Himes
Le Manteau de rêve

Pour cela, les navigateurs utilisent d'abord la méthode des distances lunaires.

Jacques Attali
Histoires du temps

À le voir si serein, on le croirait presque sous l'emprise d'une de ces étranges substances végétales qui poussent ici comme de l'herbe folle.

Éric Valli et Diane Summers
Chasseurs de miel

CHAP.
7

[, ,]

À tous ces points de vue, il était soucieux.

Victor Hugo
Les Misérables

Au-dessus de sa tête, le foehn soufflait toujours et ronflait comme soufflet de forge parmi les aiguilles.

Roger Frison-Roche
Premier de cordée

[73]

À la pause de midi, le vieux Souslov demande à
sortir pour assouvir un besoin urgent.

Nina et Jean Kéhayan
Rue du Prolétaire rouge

Une phrase commençant par une proposition com-
plétive équivaut aussi à l'adverbe ; elle équivaut toujours
à une mise en relief entre virgules.

Quand Khâli vint me donner, quelques minutes
plus tard, le baiser du voyageur, il eut la surprise
de voir mes yeux secs et souriants.

Amin Maalouf
Léon l'Africain

Les phrases commençant par un verbe au participe
présent sont également toujours entre virgules :

Estimant sans doute que sa tâche deviendrait
encore moins aisée s'il me laissait aller plus loin
dans la plaisanterie, mon ami se décida à parler
[...]

Amin Maalouf
Léon l'Africain

Une proposition de ce type peut être le résultat
d'une réduction, comme dans l'exemple suivant, où
Quand le bois commence à manquer équivaut à *Le bois commençant à manquer :*

Le bois commençant à manquer, les Anglais se
tournent vers le charbon.

Jacques Attali
Histoires du temps

Dans le corps d'une phrase, l'adverbe ou le groupe adverbial se mettent entre virgules. Voici quelques exemples :

Un adverbe simple :

> Son sommeil est, parfois, aussi aigu que la trompette de Miles Davis.

> **Dany Laferrière**
> *Comment faire l'amour avec un Nègre sans se fatiguer*

Un adverbe complexe :

> Je me rends compte, tout à coup, qu'il reprise des chaussettes dans le noir.

> **Sylvie Massicotte**
> *L'Œil de verre*

> Ce chant n'est, à vrai dire, qu'une sorte de récitatif interrompu et repris à volonté.

> **George Sand**
> *La Mare au Diable*

> Le saxophoniste, du coup, s'est arrêté net.

> **Sylvie Massicotte**
> *L'Œil de verre*

Un groupe adverbial
commençant par une préposition :

> La France reste, avec la Suisse, le plus grand producteur européen.

> **Jacques Attali**
> *Histoires du temps*

CHAP.
7

[, ,]

Un canard à grand tirage devrait, à l'aide de clichés juteux, faire choux gras de la disparition d'un étranger broyé par les volumes de sa bibliothèque.

Jean-François Bacot
Ciné Die

On trouve des éléments entre virgules qui se présentent en cascade :

Un jour, pour avoir négligé un simple rituel, Barta a été attaqué par les abeilles.

Éric Valli et Diane Summers
Chasseurs de miel

Un coude appuyé sur une valise, Momo somnolant sur mon épaule pour avoir trop bu dans l'avion, j'étais fier de notre décision.

Gaétan Brulotte
« Cage ouverte »
dans *Vingt Grands Auteurs pour découvrir la nouvelle*

Il y avait, dans le premier quart de ce siècle, à Montfermeuil, près de Paris, une façon de gargote qui n'existe plus aujourd'hui.

Victor Hugo
Les Misérables

À la fin d'une phrase, des adverbes peuvent être rejetés complètement à droite, entre virgules (la dernière virgule doit cependant céder devant un signe d'ordre supérieur) :

Matamore fut couché au fond du chariot, sous
une toile.

Théophile Gautier
Le Capitaine Fracasse

Les anciens, attablés, ne pouvaient s'en aller, et
pour cause.

George Sand
La Mare au Diable

Dès les premiers jours de printemps, j'installe
cette table avec deux chaises, face à face.

Sylvie Massicotte
L'Œil de verre

Les pronoms forts et les expressions de dates
sont souvent des embrayeurs de mise en relief, comme
dans ce qui suit :

Moi qui la soigne et qui connais son secret, je
sais qu'elle a seulement une petite crise nerveuse
de laquelle elle profite pour rester chez elle.

Honoré de Balzac
Le Père Goriot

En 1987, des niveaux de radioactivité élevés
furent enregistrés sur une plage proche de la
centrale nucléaire de Dounreay, en Écosse.

John Saul
Les Bâtards de Voltaire

La phrase incise

La phrase incise se présente, de façon typique, comme
l'inversion du verbe et du pronom sujet ou du nom sujet :

Mais, me direz-vous, si on parle pour ne rien dire, de quoi allons-nous parler ?

Michèle Nevert
Devos, à double titre

— Je veux dire, énonça le cordonnier d'une voix posée, que vous ne devez pas confondre vos affaires personnelles et celles du parti.

Louis Caron
Le Canard de bois

Remarques

Il est intéressant de noter que certains adverbes, en début de phrase, se prêtent mal à leur insertion entre virgules :

Jamais Marius ne mettait le pied dans la maison.

Victor Hugo
Les Misérables

Jamais ses amis ne l'auraient arraché à la plus sûre des retraites.

Maurice Leblanc
L'Aiguille creuse

Les adverbes qui prennent place dans le corps de la phrase peuvent ne pas être encadrés de virgules : il s'agit le plus souvent d'adverbes en un mot ou de locutions adverbiales courtes :

On retira enfin de sa voiture l'enfant qui dormait toujours.

Maupassant
Contes

De la même façon, on observe des compléments circonstanciels soustraits à la mise entre virgules, alors
qu'elles semblaient obligatoires, ce qui se vérifie pour le
groupe *dans l'esprit de Pencenat* du texte suivant :

> Cette menace immaculée aurait dû déclencher
> dans l'esprit de Pencenat une défiance alarmée.

Pierre Magnan
Les Courriers de la mort

TEXTES MODÈLES

> De fait, dès la mort de Zinki, c'est la curée.

Amin Maalouf
Les Croisades vues par les Arabes

> Vous oubliez l'existence de quelqu'un pendant
> des années et, un jour, vous en entendez parler
> trois fois dans la même journée.

Dany Laferrière
Le Goût des jeunes filles

> Elle avait pratiquement été élevée dans la forge,
> Clara, à brasser de la bière et à se battre avec les
> hommes à coups de pied dans les fesses au
> moindre chahut.

Antonine Maillet
Mariaagélas

> Pour que la loi humaine soit respectée de tous, il
> faut bien jeter une passerelle entre le monde des
> dieux et celui des hommes. Le sacré, non au sens

CHAP.
7
[, ,]

[79]

de *sacer*, mais au sens dérivé de *sancire*, remplit cette fonction.

Alain-Gérard Slama
L'Angélisme exterminateur

Le Christ-chat, après avoir mangé, pissait encore en s'en allant, cette fois sur les cognassiers. Je le voyais faire ; je n'en disais rien et riais sous cape à cause de la confiture de coing, la spécialité de ma femme, qu'elle préparait selon une recette de famille et conservait ensuite dans de petits pots pour les grandes occasions.

Jacques Ferron
La Nuit

Mais cet enchaînement d'idées, si rudimentaire qu'il soit, se fait-il en réalité dans l'intellect de l'insecte ?

J.-H. Fabre
Souvenirs entomologiques

C'est souvent ici, en pleine lumière, que se confirme la beauté de celle avec qui j'ai passé la nuit.

Sylvie Massicotte
L'Œil de verre

La galerie était trop large pour qu'elle pût s'arc-bouter aux deux côtés des bois, ses pieds nus se tordaient dans les rails, où ils cherchaient un point d'appui, pendant qu'elle filait avec lenteur, les bras raides en avant, la taille cassée.

Émile Zola
Germinal

Et ce dont témoigne admirablement et essentiellement la période niçoise, c'est de l'étonnamment *exotérique* manifestation de la libre consommation de cette énergie en ce qu'elle manifeste, dans cette liberté même (dans cette totale liberté que s'accorde l'artiste), la luxueuse qualité de son goût et de son plaisir.

Marcelin Pleynet
Henri Matisse

C'était sans doute à Lisbonne, peut-être en automne, quelques saisons après la révolution, une révolution des œillets.

Jean-François Bacot
Cine Dip

« Madame, monsieur, qui que vous soyez, je vous présente la conscience du cinématographe. »

Daniel Pennac
Monsieur Malaussène

Qu'importe, il suffisait à présent de peu de mots pour comprendre que nous avions largué les amarres au bout d'une nuit torride et nerveuse.

CHAP.
7
[, ,]

Christophe Malavoy
D'étoiles et d'exils

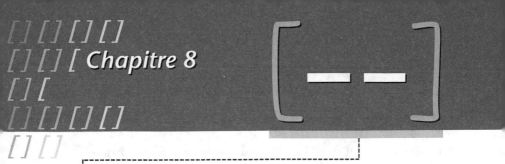

Chapitre 8

Les deux tirets

Le rôle des deux tirets est associé à celui des deux virgules puisque les tirets servent également à isoler des
éléments semblables, mais rarement des phrases relatives. On peut dire qu'il s'agit d'un signe « moderne »,
même si des écrivains s'en servaient au début du siècle ;
ce signe est à la mode et est adopté par un nombre croissant d'utilisateurs. En voici des exemples :

> L'homme emportait dans un sac — comme la
> veuve Delouche retrouvant son aplomb s'en
> aperçut un instant plus tard — une douzaine de
> ses poulets les plus beaux.

Alain-Fournier
Le Grand Meaulnes

> Simone de Beauvoir avait rendu célèbre le café
> des Deux Magots en passant ses journées
> entières — sous l'Occupation — à noircir des
> feuillets, collée contre le poêle à charbon.

Louis-Bernard Robitaille
« Paris : la perfection est sans surprise », dans *Liberté*

Remarque

Le premier tiret n'est jamais placé au début de la phrase. Un seul tiret dans le corps de la phrase indique clairement qu'il s'agit du premier tiret et que le second a été élidé devant le point final, les tirets étant soumis à la loi des signes de ponctuation supérieurs.

TEXTES MODÈLES

Le 23 juin 1991, une notion nouvelle — une de ces curiosités que l'on croyait réservées à la société puritaine d'Outre-Atlantique — faisait irruption dans notre vocabulaire.

Alain-Gérard Slama
L'Angélisme exterminateur

Il avait donc réglé toutes les factures, y compris le compte de taxes municipales de deux mille dollars — il n'allait pas importuner Suzanne pour si peu, tout de même — puis il s'était endetté jusqu'au cou pour se procurer de nouveaux meubles. Il aurait pu en profiter pour changer son percolateur — deux cents dollars de plus ou de moins, au point où il en était — mais il avait résisté à la tentation.

François Gravel
Miss Septembre

Paris est en revanche une ville stimulante — ou accablante — pour ce qui est de la perfection de la forme. Chacun y parle avec aisance son propre français (populaire, conservateur, chic, snob, régional), beaucoup de gens — même très ordinaires — écrivent naturellement bien ou très bien.

Louis-Bernard Robitaille
« Paris : la perfection est sans surprise », dans *Liberté*

CHAP.
8
[——]

Chapitre 9

La virgule

La virgule est un signe tout à fait différent de ceux qui ont été étudiés jusqu'à présent. Son rôle habituel est pourtant simple : c'est celui d'indiquer que des opérations de retrait de matériel linguistique ont eu lieu à l'intérieur de la phrase. Elle indique en outre que des éléments coordonnés sont partiellement en opposition ou de nature distincte.

La disparition de matériel linguistique

On se rend compte que la virgule joue également un rôle non négligeable, celui d'indiquer que du matériel linguistique a été retiré ; dans l'exemple suivant, la virgule remplace *je m'étais mise* :

> Je m'étais mise à porter un pantalon en skaï moulant et des pulls bien étroitement serrés sur mes petits seins, à me dessiner une trop grande bouche en débordant largement avec le rouge à lèvres.

Alina Reyes
Le Boucher

[87]

Un autre rôle important de la virgule est celui de présenter, en les séparant, des éléments d'une liste, ce qui se conjugue avec le retrait de matériel linguistique :

> Arbre totem, source des avirons, pourvoyeur de bois franc, pompe de sève nourrissante, créateur des feuillages où se déploie la moitié des couleurs du prisme, donneur d'amadou, fournisseur d'ombre parfaite, voici l'érable.

> **Pierre Morency**
> *L'Œil américain*

> Le loyer, la nourriture, le blanchissage, les menus plaisirs, tout se trouvait écrit, noté, additionné.

> **Émile Zola**
> *Le Ventre de Paris*

Dans les exemples qui précèdent, un mot vient synthétiser la liste qui le précède, *voici, tout*.

Dans l'exemple qui suit, ce serait une faute grave d'omettre la virgule entre *gravelle* et *n'ont plus prise sur lui*, suggérant par là que la fonction sujet du verbe pourrait n'être que *gravelle* au lieu de la liste dont ce mot fait partie :

> Goutte, fièvre, catarrhe, gravelle, n'ont plus prise sur lui.

> **Théophile Gautier**
> *Le Capitaine Fracasse*

Éléments coordonnés de nature distincte

La plus grande confusion existe sur l'emploi ou non de la virgule avant les mots *mais, ou, et, donc, car, ni, or* (*maisouetdonccarnior* ou *maisouetdoncornicar*, selon le procédé mnémotechnique pratiqué à l'école...). Leur regroupement est moins évident si l'on examine leur emploi. Seuls *mais, donc, car* et *or* s'emploient isolément :

> Mais, ...
> Donc, ...
> Car, ...
> Or, ...

L'emploi de la même manière de *ou* et *ni* n'est pas naturel, et celui de *et* ne l'est guère plus.

La fonction normale de ces joncteurs est d'associer des éléments qu'ils délimitent de part et d'autre. Dans le cas où ces éléments s'opposent d'une certaine manière, la virgule précédant le joncteur met en évidence une différence d'ordre, de personne grammaticale, etc. Dans l'exemple qui suit, la conjonction *et* unit des propositions relatives de nature différente, *qui va vite, où le moment est décisif* (un adjectif suivi d'un adverbe) :

> Ce qui est en cause est l'absence du système d'alarme dont la conscience a besoin pour protester au moment voulu — dans un monde qui va vite, et où le moment est décisif

> **Alain-Gérard Slama**
> *L'Angélisme exterminateur*

La conjonction *mais*, dans l'exemple qui suit, unit deux phrases simples de sujets différents ; c'est un cas d'opposition très fréquent qui commande l'insertion d'une virgule :

> Gervaise retint le nom des Malaussène au passage, mais Berthold lui avait déjà saisi la main pour y déposer un baiser de Prussien.

> **Daniel Pennac**
> *Monsieur Malaussène*

CHAP.
9
[,]

En l'absence d'une telle opposition, la virgule n'est ni nécessaire ni souhaitable.

Remarques

1. L'une des fautes les plus graves est de séparer le sujet du verbe, même quand le sujet est constitué de nombreux éléments, comme dans les exemples fautifs qui suivent :

> Tous les chevaux, étaient prêts.

> L'Institut d'études québécoises de l'Université de Bologne, organise le congrès annuel de l'Association italo-québécoise.

La syntaxe particulière de certaines phrases requiert l'inversion du sujet et du verbe, qui ne peuvent jamais être séparés par une virgule :

> Durant l'été 89 avait éclaté l'affaire Ochoa.

> **Jean-François Bacot**
> *Ciné Die*

Il est à remarquer que le groupe adverbial précédant le verbe et le sujet ainsi inversés forme corps avec eux, sans virgule. Il en aurait été de même dans l'exemple suivant « Brusquement parurent[...] », mais le groupe *au détour de l'église* rompt cette unité : il est logiquement placé entre des virgules :

> Brusquement, au détour de l'église, parurent les premiers charbonniers qui revenaient de la fosse, le visage noir, les vêtements trempés, croisant les bras et gonflant le dos.

> **Émile Zola**
> *Germinal*

2. La faute n'est pas moins grave dans les exemples qui suivent, où il s'agit de la séparation du verbe de son complément :

> Les seuls termes retenus devaient désigner, des objets appartenant aux domaines des matériaux ou de l'équipement.

3. L'analyse des mots synthétiseurs comme *tout* nous fait voir la distinction de leur emploi dans la phrase. Dans le cas de l'exemple qui suit (déjà cité plus haut) :

> Le loyer, la nourriture, le blanchissage, les menus plaisirs, tout se trouvait écrit, noté, additionné.

> **Émile Zola**
> *Le Ventre de Paris*

Le mot *tout* ne fait pas partie de la liste qui précède ; mais en est le résumé. Ce mot *tout* est précédé du signe de la virgule qui, lui, est préféré aux deux-points, signe privilégié de la séparation de phrases indépendantes – ce qui n'est pas le cas ici puisque la liste qui précède n'est pas une phrase. D'une façon logique, il y a aussi le fait que les deux points ne suivent pas une énumération, mais la précèdent :

> C'étaient de belles nippes, du fin linge, des guipures, des dentelles, des bijoux, des pièces de velours et du satin de la Chine : tout un trousseau aussi galant que riche.

> **Théophile Gautier**
> *Le Capitaine Fracasse*

Dans cette phrase, le mot *tout* est précédé des deux-points même s'il n'introduit ni une phrase ni une

CHAP.
9
[,]

énumération. *Tout un trousseau aussi galant que riche* est un résumé-explication de la liste qui précède, et la virgule au lieu des deux-points entraîne un non-sens faisant équivaloir ce groupe nominal à l'un des éléments de la liste qui précède.

4. Il est fréquent que la juxtaposition de phrases simples se fasse sans conjonction de coordination ; ces phrases sont alors séparées par la virgule :

> La nuit est sortie de dessous les arches, elle est montée tout le long du château, elle a pris la façade, les fenêtres l'une après l'autre, qui flambaient devant l'ombre.

> **Louis-Ferdinand Céline**
> *Voyage au bout de la nuit*

Remarque : La confusion est toujours possible, entre la virgule et les deux virgules, quand une seule des virgules-parenthèses est maintenue. Ce n'est qu'un examen attentif qui permet alors de les distinguer.

TEXTES MODÈLES

> On se ressaisit, on se secoue, on vide nos verres, on met le saint-émilion de côté et on prend un médoc à la place.

> **Stéphane Bourguignon**
> *L'Avaleur de sable*

> C'était la première fois que Jacquemort voyait une église construite de cette façon artificieuse, en forme d'œuf, sans colonnes de pierre, sans

arcs, sans doubleaux, sans croisées d'ogives, sans tambour ni trompette et sans souci du lende-main.

Boris Vian
L'Automne à Pékin

Tu naissais, Julien, et j'étais là, moi, et j'avais tout senti, tout respiré, tout vu sans rien voir, tout entendu sans rien entendre!

Robert Lalonde
L'Ogre de Grand Remous

Soit moquerie, soit plaisir causé par l'étrange jeu qu'ils jouaient là, soit excitation nerveuse et peur d'être rejoints, ils dirent en courant deux ou trois paroles coupées de rires.

Alain-Fournier
Le Grand Meaulnes

Imaginez quelqu'un qui, pendant dix ans, aurait suivi des cours théoriques, et rien que théo-riques, sur la natation. Que lui arrivera-t-il le jour où un mauvais plaisant le poussera dans la piscine? Il oubliera tout de la théorie !

Marco Wolf
La Bosse des maths est-elle une maladie mentale ?

CHAP.
9
[,]

[93]

Chapitre 10

L'astérisque

Les linguistes et les enseignants spécialisés dans l'enseignement des langues ou en formation des maîtres l'utilisent à la manière du point d'interrogation pour souligner cette fois qu'une phrase est agrammaticale, illogique, mal construite ou dénuée de sens ; l'astérisque précède également l'énoncé :

> *Les dents de mon devant vont mieux mais celles de mon derrière me font encore mal.

> *L'Himalaya est plus haut que toutes les montagnes.

L'art de ponctuer
chez un grand fabuliste

Le laboureur et ses enfants

Travaillez, prenez de la peine :
C'est le fonds qui manque le moins.
Un riche laboureur, sentant sa mort prochaine,
Fit venir ses enfants, leur parla sans témoins.
« Gardez-vous, leur dit-il, de vendre l'héritage
Que nous ont laissé nos parents :
Un trésor est caché dedans.
Je ne sais pas l'endroit ; mais un peu de courage
Vous le fera trouver : vous en viendrez à bout.
Remuez votre champ dès qu'on aura fait l'oût :
Creusez, fouillez, bêchez ; ne laissez nulle place
Où la main ne passe et repasse. »
Le père mort, les fils vous retournent le champ,
Deçà, delà, partout ; si bien qu'au bout de l'an
Il en rapporta davantage.
D'argent, point de caché. Mais le père fut sage
De leur montrer, avant sa mort,
Que le travail est un trésor.

La Fontaine
Fables

Le blanc et la ponctuation

Les signes de ponctuation que nous avons vus jusqu'à présent obéissent à certaines contraintes.

Un signe interagit avec le blanc, autre signe omniprésent dans son emploi le plus évident, celui de la séparation des mots. Le blanc correspond à un terme technique de typographie, une espace. Il y a deux sortes d'espace: la barre d'espacement du clavier d'une machine produit une espace proprement dite. L'espace entre deux caractères peut être réduit pour obtenir une espace *fine*, ce qui s'applique en typographie. La configuration des machines à écrire et même des traitements de texte les plus à jour ne permettent pas autre chose que le *blanc*.

Une difficulté se présente à la fin d'une ligne. Le report sur la ligne suivante d'une espace, c'est-à-dire d'un blanc, est parfois interdit, comme dans ces emplois fautifs d'un blanc *sécable* :

• dans un nombre d'au moins quatre chiffres : 34 348 432

• dans une expression associant un titre : M. Martin

• dans une expression associant un symbole : 4 kg

• dans une phrase terminée par « etc. » : [...], etc.

• dans le report d'un signe de ponctuation sur la ligne suivante (phénomène fréquent dans nos journaux...) : [...] ;

Ce type d'espace est dit *insécable* et doit être protégé par une mesure prévue dans les traitements de texte. Dans le tableau de la page suivante, espace proprement dite et espace fine ne se distinguent pas. On indique s'il y a un blanc avant ou après un signe.

Les signes de ponctuation de la phrase sont de deux sortes : les uns, les signes *inférieurs*, s'effacent devant les autres, les signes *supérieurs*. Le maintien ou non d'un signe est indiqué dans le tableau.

On signale enfin si le signe de ponctuation peut être précédé ou suivi d'autres signes, par exemple !???

Tableau 1

Cooccurrences des signes de la phrase, d'autres signes et du blanc

signe de la phrase	espace (blanc) avant	espace (blanc) après	maintien début de la phrase	fin de la phrase	autre signe de la phrase à gauche	autre signe de la phrase à droite
[.] point	non	oui	N[1]	oui	non	non
[?] point d'interrogation	oui	oui	N[2]	oui	oui	oui
[!] point d'exclamation	oui	oui	N[1]	oui	oui	oui
[...] points de suspension	non	oui	N[1]	oui	oui	oui
[;] point-virgule	oui	oui	N[1]	N[1]	non	non
[:] deux-points	oui	oui	N[1]	N[1]	non	non
[,,] virgules[3]	non	oui	non[4]	non[5]	non	non
[— —] tirets	oui	oui	N[1]	non	non	non
[,] virgule	non	oui	N[1]	N[1]	oui	non
[*] astérisque[6]	oui	non	oui	N[1]	non	non

1. N = ne s'applique pas.
2. Ne s'applique pas sauf dans le cas du point d'interrogation pour marquer une phrase douteuse.
3. Les règles valent pour le premier et le second signes.
4. Il s'agit de la première virgule.
5. Il s'agit de la seconde virgule.
6. Sauf dans le cas de l'astérisque pour marquer une phrase agrammaticale.

Deuxième partie

La ponctuation du [mot]

Chapitre 11

Les signes de ponctuation dans le mot

Les principaux signes de ponctuation orthographiques sont le blanc, le trait d'union, l'apostrophe et le point. Le blanc est le séparateur usuel des mots.

Le trait d'union [-]

Le trait d'union n'est pas un signe de ponctuation comme on l'entend habituellement. Un phénomène important lié à la ponctuation entraîne cependant le marquage par un trait d'union : c'est l'inversion.

L'inversion de mots est surtout liée à l'interrogation :

> Sommes nous coupables ?
> Est-ce qu'il vient ?
> Pierre vient-il ?
> Les enfants sont-ils à l'école ?
> Elle vient-tu ?/Elle vient-ti ?
> Tu viens-tu ?/Tu viens-ti ?

L'inversion de mots n'enclenche pas automatiquement une interprétation interrogative :

> Suis-je bête de ne pas y avoir songé auparavant.

L'inversion de mots avec valeur assertive est un procédé très courant dans les incises de réplique :

> , m'a-t-elle lancé,
> Penses-tu !
> , dit-il,
> , s'écria-t-elle,
> , fit-il,

Le trait d'union, qui est obligatoire dans l'inversion d'un sujet pronominal, est interdit dans le cas du sujet nominal :

> *, pensait-Édouard,
> *, soupirait-Rosine,

Remarques

La composition des mots peut être marquée par la présence de traits d'union :

> contre-indication
> maniaco-dépressif
> arc-en-ciel
> garde-malades
> compte-gouttes
> c'est-à-dire
> décrochez-moi ça
> sot-l'y-laisse
> suivez-moi-jeune-homme

La composition des mots peut n'être pas marquée par ce signe :

> pomme de terre

Elle est également non marquée quand il y a absence de blanc :

> se contrefoutre

1. Les caractéristiques de la composition par l'un ou l'autre procédé sont plus ou moins aléatoires. Qui plus est, l'usage écrit est souvent instable pour un mot donné .

> un je ne sais quoi/un je-ne-sais-quoi *(Petit Robert)*

2. Les dictionnaires ne privilégient pas les mêmes formes :

> auto-école / autoécole *(Petit Robert)*
> auto-école *(Larousse)*

Le trait [-]

Ce signe, semblable au trait d'union, s'utilise surtout pour la coupure d'un mot à la fin d'une ligne; on dit aussi « division » et « césure ». La coupe d'un mot se fait entre syllabes ou peut coïncider avec le trait d'union :

> ... la cou
> pure
>
> ... un arc-
> en-ciel

Un auteur peut signaler ainsi au lecteur le détachement de lettres, de syllabes :

> Occurrence s'épelle o-c-c-u-r-r-e-n-c-e.

« Des quoi ? Des serviettes comment ?
— Des serviettes sa-ni-tai-res. »

Lili Gulliver
L'Univers Gulliver, 1. Paris

Dans l'exemple suivant, au contraire, on a voulu marquer par le trait l'assemblage d'unités habituellement isolées :

Donnez-moi un bifteck-à-point !

Certains dictionnaires introduisent la terminaison au pluriel ou au féminin par un trait, comme dans le *Robert & Collins* :

fanal, -aux
fermier, -ière

Le tilde [~]

Pour économiser de l'espace, dans certains dictionnaires, on utilise le tilde au lieu de répéter le mot de l'entrée :

couvert ... il est trop ~ pour la saison [...]

Robert & Collins
Dictionnaire français-anglais, anglais-français

Pour les mêmes raisons, d'autres dictionnaires utilisent le trait :

humoristique adj. Qui tient de l'humour :
dessin -.

Larousse pour tous

Le tiret [—]

Dans des dictionnaires, on substitue ce tiret placé en indice au mot indiqué comme entrée :

> BÉGAIEMENT   Défaut de prononciation. *Il est affecté d'un — insupportable.*

La perluète [&]

Ce signe, jamais classé avec les signes de ponctuation, ne s'emploie plus guère que dans les raisons sociales et prend le sens du joncteur *et.*

> Dupuis & Frères

Remarque

L'emploi de la perluète dans *le pain & le beurre* est fautif. Les raisons sociales et la publicité abondent d'emplois abusifs de la perluète.

L'apostrophe [']

L'apostrophe est un signe d'abréviation du mot qui indique qu'une voyelle, une consonne ou un groupe de consonnes et de voyelles graphiques ont été supprimés. Dans un premier groupe, on constate la suppression, dans différents types de déterminants, de pronoms ou même de prépositions:

> l'amitié (la amitié)
> l'ami (le ami)
> elle m'a vu (me a vu)

[107]

il s'est blessé (se est blessé)
pou' lui parler (pour lui parler)

Dans un deuxième groupe, il s'agit de suppressions de groupes de consonnes et de voyelles qui résultent en une expression figée :

le caf' conc' (le café concert)
M'sieur (Monsieur)
le p'tit déj' (le petit déjeuner)

On trouve enfin des expressions figées depuis fort longtemps :

d'abord
aujourd'hui

Remarques

L'apostrophe dans l'emprunt à l'anglais, par exemple, joue un autre rôle :

Eaton's

Des noms propres d'origine étrangère s'écrivent avec l'apostrophe :

McA'Nulty
O'Connor
N'Djamena
Penmarc'h

Le point [.]

Le point remplit diverses fonctions en relation avec le mot, non plus avec la phrase.

Il sert à marquer :

1. L'abréviation d'un patronyme, habituellement le prénom :

A. Daudet (Alphonse Daudet)

2. L'abréviation d'un seul ou de plusieurs mots courants :

app. (appartement)
apr. J.-C. (après Jésus-Christ)
av. J.-C. (avant Jésus-Christ)
boul. (boulevard)
c.-à-d. (c'est-à-dire) ou i.e. (id est)
c.c. (copie conforme)
chap. (chapitre)
coll. (collaborateurs)
C.Q.F.D. (ce qu'il fallait démontrer)
E. (Est)
éd. (édition, éditions)
éd. cit. (édition citée)
édit. (éditeur, éditeurs)
enr. (enregistré)
ex. (exemple, exemples)
fasc. (fascicule)
fém. (féminin)
fig. (figure)
fr. (français)
inc. (incorporé)
M. (Monsieur)
masc. (masculin)
MM. (Messieurs)
ms. (manuscrit)
N. (Nord)
n.d.l.r. (note de la rédaction)
O. (Ouest)
p. (page, pages)
p.d.g. (président-directeur général)
p. ex. (par exemple)

réf. (référence)
r.s.v.p. (répondez s'il vous plaît)
s. (siècle)
S. (Sud)
s.d. (sans date)
s.l. (sans lieu)
s.l.n.d. (sans lieu ni date)
s.v.p. ou S.V.P. (s'il vous plaît)
t. (tome)
tél. ou Tél. (téléphone)
t.s.v.p. (tournez s'il vous plaît)
vol. (volume)

3. L'abréviation de mots d'origine latine ou autre – que l'on doit inscrire en italique – requiert le point, dit le point d'abréviation :

cf. (*confer,* comparer)
et al. (*et alii,* et collaborateurs)
etc. (*et cetera,* ou *et caetera,* et le reste)
id. (*idem,* le même)
ibid. (*ibidem,* au même endroit)
loc. cit. (*loco citato,* passage cité)
op. cit. (*opere citato,* ouvrage cité)
P.-S. (*post-scriptum*)

On ne met habituellement pas « etc. » en italique, malgré l'origine latine de cette locution ; *post-scriptum* s'abrège comme ci-dessus.

4. La séparation du jour, du mois et de l'année :

28.12.1996 (ou 1996.12.28, selon une norme récente)

5. L'épellation d'un mot :

« Comment dites-vous ?
— Q.U.É.T.A.I.N.E., que je lui épelle. »

Lili Gulliver
L'Univers Gulliver, 1. Paris

Remarques

1. On peut abréger un mot de différentes façons. Quand le mot abrégé contient la dernière lettre, ou plusieurs, du mot de départ, on ne peut mettre le point d'abréviation : *1er* (premier), *1re* (première) *2e* (deuxième), *Mme* (Madame), *Me* (Maître), *Mgr* (Monseigneur), *no* (numéro), *ltée* (limitée), *Cie* (Compagnie). On fait remarquer que, le plus souvent, l'inscription se fait en caractères suscrits de taille réduite à partir du 2e caractère.

2. L'acronyme est une abréviation qui se prononce comme un mot entier : *ONU* (Organisation des nations unies), *UNESCO* (*United Nations Educational, Scientific and Cultural Organization*), *CEGEP* (Collège d'enseignement général et professionnel), *CUM* (Communauté urbaine de Montréal), *CAO* (conception assistée par ordinateur), *PIB* (produit intérieur brut). Les acronymes de cette sorte se trouvent parfois en lettres minuscules avec une capitale à l'initiale . *Onu, Cégep, Cum,* etc. D'autres acronymes sont tout en lettres minuscules : *sida* (syndrome d'immunodéficience acquise), *laser* (*light amplification by stimulated emission of radiation*), *radar* (*radio detecting and ranging*).

3. On désigne par « sigle » un mot abrégé qui s'épelle lettre par lettre : *S.A.Q.* (Société des alcools du Québec), *U.S.A.*, prononcé à la française.

[111]

On tend de plus en plus à supprimer les points d'abréviation dans le sigle :

> La SQ dépose son rapport d'enquête.
> (SQ = Sûreté du Québec)
>
> La SRC donne l'heure juste.
> (SRC = Société Radio-Canada)

4.a Les abréviations suivantes sont sans point :

> ltée (limitée)
> Me (Maître)
> Mes (Maîtres)
> Mme ou Mme (Madame)
> Mmes ou Mmes (Mesdames)
> Mlle ou Mlle (Mademoiselle)
> Mlles ou Mlles (Mesdemoiselles)
> mss (manuscrits)
> no (numéro)
> nos (numéros)
> St ou St (Saint)
> Sts ou Sts (Saints)
> Ste ou Ste (Sainte)
> Stes ou Stes (Saintes)

4.b Les symboles du SI (système international d'unités) s'écrivent également sans point :

> kg (kilogramme)
> m (mètre)
> F (franc)
> min (minute)
> lb (livre)
> oz (once)
> l (litre)
> h (heure)
> W (Watt)
> kW (kilowatt)
> oC (degré Celsius)
> oF (degré Fahrenheit).

5. Les chiffres de plus de 999 sont sans point et séparés par un blanc :

34 348 432

Remarques

L'abréviation de *Monsieur* en *Mr* ou *Mr.* est une faute courante.

D^r est l'abréviation de *Docteur*.

L'abréviation « etc. » est équivalente aux points de suspension ; pour cette raison, elle ne se place jamais en début de ligne ; elle est toujours précédée d'une virgule.

L'abréviation *boul.* alterne avec *bd* sans le point.

Les abréviations *1°*, *2°* et *3°* tiennent lieu de *primo, secundo* et *tertio* tandis que *1er*, *1re*, *2e* et *3e* sont des abréviations de premier, première, deuxième et troisième. Ni les unes ni les autres ne sont suivies d'un point.

Les quatre points dans l'indication d'une date signifient qu'un ouvrage commencé en telle année n'est pas terminé, à propos par exemple du *Trésor de la langue française 1971* .... ou d'une personne qui est toujours vivante, *Antonin Crevier, 1911-*....

Les abréviations *a.m. (ante meridiem)* et *p.m (post meridiem)* sont anglaises ; en français, il est 3 h ou 19 h 15. L'expression *e.g. (exempli gratia)* est aussi proscrite et ne peut s'utiliser pour *par exemple*.

Des expressions anglaises sont abrégées de la manière suivante : © (*copyright*) ® (*registered*, marque déposée).

Le point d'interrogation [?]

Le point d'interrogation peut avoir les fonctions d'un signe orthographique :

> Nous avons échoué à Gdanska (?), un village qui n'est pas mentionné dans notre guide.

> Il avait rapporté trois (?) truites.

Le point d'interrogation porte, non plus sur toute la phrase, mais sur des éléments isolés de cette phrase. Dans le premier cas, le [?] peut indiquer que nous ne sommes pas assuré :
1. de l'orthographe du nom de ce village ;
2. du nom même du village.

Quelle que soit l'interprétation, nous sommes en présence d'une interrogation restreinte au mot.

Dans les deux cas, il pourrait bien s'agir initialement d'une réduction de phrase. On aurait pu lire (était-ce bien à Gdanska ?), (était-ce bien trois ?), au lieu du simple point d'interrogation entre parenthèses.

Les points de suspension [...]

Les points de suspension peuvent n'affecter que le mot.

Ils peuvent signaler que le nom d'une personne doit rester anonyme :

> C'est ainsi qu'ils étaient six sergents : le sergent C..., le sergent R..., le sergent V..., le sergent Gla, le sergent Ger, le sergent Géo.

> **Albert Londres**
> *Dante n'avait rien vu*

Dans la plupart des cas, il s'agit de l'abréviation de mots jugés grossiers ou vulgaires :

> Tu donnerais cher pour l'avoir, ma ch...!

Noël Audet
Frontières ou Tableaux d'Amérique

Remarques

L'abréviation des noms propres de personnes par des points de suspension, au titre d'un certain anonymat, ne concerne que le nom de famille : le prénom s'abrège de la manière habituelle, d'un point orthographique.

Il est bien évident que la ou les lettres résultant de l'abréviation peuvent être fictives : *Mme X...* On peut ainsi désigner des noms propres de lieux : *Il est allé à Y...*

Le point d'exclamation [!]

Il accompagne habituellement :

1. Les mots phrases exclamatifs :

> Ah !
> Oui !
> Bravo !

2. L'interpellation d'un individu :

> « François Paradis ! s'exclama le père Chapdelaine. »

Louis Hémon
Maria Chapdelaine

> « Un champ qui soit à vous, cher Émile ! et dans
> quel lieu le choisirez-vous ? »

Jean-Jacques Rousseau
Émile ou de l'éducation

3. Le juron :

> « Du bois vert ! Sacrebleu ! »

Louis Caron
Le Canard de bois

> « Des jurons, des exclamations s'entre-croisèrent.
> — Dène-dzam !
> — Iche !
> — Yaba !
> — Ngakoura !
> — Io ! »

René Maran
Le Livre de la brousse

4. L'insulte :

> « Salaud, chien, vicieux, ordure, enfoiré ! »

Lili Gulliver
L'Univers Gulliver, 1. Paris

> « Va chier, ratonne de merde ! »

San-Antonio
Les Soupers du prince

Remarques

Des mots « exclamatifs » existent, qu'on retrouve au chapitre des interjections des grammaires traditionnelles. En voici des exemples : ah !, oh !, bof !, beurk !, bravo !, hé ! (On trouve des centaines de ces interjections, mais aussi la transcription de cris, de bruits, dans *Trait et Dulude* [1989]).

Quand deux particules interjectives se présentent simultanément, il n'y a qu'un point d'exclamation :

Ah non !, par exemple.

On observe également des résidus de phrases exclamatives :

Magnifique !
Que c'est drôle !

TEXTES MODÈLES

Ahhh !!! Qu'est-ce que c'est, Georges, mais qu'est-ce que c'est que ce monstre ? Un garçon, j'en suis sûre, le tyran ! Oh, cette touffe de cheveux rouges, un futur malin, un rusé ! Oh, Georges...!

Robert Lalonde
L'Ogre de Grand Remous

Merde ! J'avais tout faux. Elle va vraiment se flinguer.

Walter Lewino
La Folle de Bagnolet

La virgule [,]

Ce signe s'utilise également du point de vue orthographique :

1. dans le voisinage de nombres avec décimales:

Le melon brodé vaut 2,25 $ le kilo.

2. dans une adresse (pour remplacer une inscription à la verticale)

> Madame Babette Maurel, 35, rue Tanguay, Nouveau-Bordeaux.

3. dans une bibliographie (voir celle de cet ouvrage).
4. devant « etc. »

> On peut librement organiser des soirées nudistes chez soi (barbecue, Pictionnary) qui pourront même être prolongées selon l'humeur par plusieurs autres chapitres de ce volume (« Vendre sa femme », « Traire une vache », « Organiser une partouze », etc.).

> **Camille Saféris**
> *Le Manuel des premières fois*

Remarque

L'utilisation du point pour séparer les décimales des nombres entiers est fautive en français, sauf dans l'indication d'une bande FM (de la radio), par exemple, 100.7.

TEXTES MODÈLES

> Ici, point de lionceaux, de béliers, de pattes cornues ou griffes, de licornes ou d'hippocampes, mais plutôt le contour souple, insaisissable et lisse de la loutre et de l'ours blanc ou le profil stylisé de grands oiseaux (huard, marmotte, etc.).

> **Françoise Tétu de Labsade**
> *Le Québec : un pays, une culture*

Fait à Versoix, Suisse, le 27 avril 1972.

San-Antonio
Les Soupers du prince

L'astérisque [*]

Le *Petit Larousse en couleurs* utilise l'astérisque pour signaler qu'un mot commence par un h aspiré.

*HÉROS

Dans le cas où il s'agit d'un mot ou d'un groupe comme un nom composé, l'astérisque signifie alors qu'il s'agit d'une forme non attestée ou inacceptable :

*enceint
*désinavouable
*pomme-de-terre

Remarques

Le mot *astérisque* est du genre masculin ; on dit un astérisque comme on dit un risque.

Une forme fautive quand elle appartient à une citation, à un titre de livre n'est jamais marquée d'un astérisque ; elle est signalée par [*sic*].

Le mot *étoile* (probablement une traduction de l'anglais *star*) s'utilise de façon fautive au lieu de *astérisque*.

Au XVIIIe siècle, pour garantir l'anonymat souhaité d'un auteur, on abrégeait son nom en insérant deux ou trois astérisques après la lettre initiale ou en lui substituant un même nombre d'astérisques :

L'ÉLOQUENCE
DU
TEMPS,
ENSEIGNÉE
À UNE
DAME DE QUALITÉ,
et accompagnée de quantité de
bons mots et de pensées ingénieuses.

Par Mr *** de l'Académie françoise

À Paris, 1707

Voici un autre exemple :

ŒUVRES
DIVERSES
DU Sʀ D**
AUGMENTÉES
DE ROME, PARIS,
ET MADRID, RIDICULES
AVEC
Des Remarques Historiques, & un
Recueil de Poësies choisies

Par Mr de B***

À Amsterdam 1714

De nos jours, l'abréviation de noms propres de personnes, qui s'explique de la même manière, se fait au moyen des points de suspension.

La barre oblique   [/]

Ce signe s'utilise dans les fractions – on dit aussi « barre de fraction » – comme dans les indications de recettes de cuisine :

1/4 de tasse de farine

On l'emploie également pour signifier *à* ou *par* : 72 pulsions/min, ou 3 200 habitants/km^2.

On trouve dans les indications géographiques de pays francophones des indications comme Morey s/ Loing (Morey-sur-Loing) ; on trouve aussi la graphie Morey ˢ/ Loing.

Pour parer au déficit sémantique du joncteur *ou*, on trouve dans les textes *et/ou* quand on veut dire explicitement que le *ou* est exclusif ou inclusif :

> Il y a des phrases pour la compréhension desquelles tout recours au contexte et/ou à la situation est inutile.

La barre oblique marque une relation d'antonymie :

> Le spectateur solitaire, en parfaite conformité avec le propos, était à la fois attentif et indifférent lorsque le discours — par rafales — débita des sortes d'antonymes :

> MANGER/DÉFÉQUER
> CONSOMMER/PRODUIRE
> BOIRE/PISSER
> ENTENDRE/PARLER
> APPRENDRE/ENSEIGNER
> SOUFFRIR/BLESSER
> DÉTRUIRE/CONSTRUIRE
> NIER/AFFIRMER
> PROCRÉER/ASSASSINER

> NAÎTRE/MOURIR

Jean-François Bacot
Ciné Die

La barre oblique suppose le choix entre deux formes :

> je ne sais quoi/je-ne-sais-quoi *(Petit Robert)*

Certains dictionnaires l'utilisent, par exemple le *Littré,* pour indiquer la prononciation et des notes s'y rapportant :

> bayeur, euse /ba-ieur, ieû-z ; quelques-uns prononcent bè-ieur, bè-ieuse ; voir *bayer*/

Le *Littré* utilise encore ce signe pour marquer un siècle dans l'évolution historique d'un mot :

> accoster... / XIIIe s. ... / XIVe s. ... / XVe s. ... / XVIe s. ...

Le signe d'égalité [=]

On s'en sert souvent pour dire *signifie* :

> SQ = Sûreté du Québec

Les crochets [[ ]]

Les crochets s'emploient d'une façon spécifique dans les ouvrages d'enseignement, les dictionnaires pour isoler des formes transcrites phonétiquement :

> [i] il, vie, lyre *(Petit Robert)*
> [i] il, vie, lyre acrylique [akrilik] *(Petit Robert)*

Pour signaler qu'une faute d'orthographe existait dans le texte d'origine que l'on recopie, on utilise l'expression latine italicisée [*sic*] entre crochets et [*resic*] s'il y a une répétition de fautes. L'exemple suivant est tiré du catalogue d'un libraire antiquaire :

BORDELON. La Langue, ou Mellange [*sic*] curieux. Avec des réflexions Morales & des Bons Mots. A. Leyde, chez J.-A. Langerak, 1735.

Les guillemets [«»], ["''"], ["''"], ['']

Les guillemets sont deux paires de signes, ce qui fait quatre signes deux à deux : « ». Selon leur disposition, ils sont ouvrants ou fermants.

Des auteurs les utilisent pour mettre en relief des mots marqués d'une certaine ironie ou d'un sens inhabituel :

> C'était l'histoire classique d'un fils à papa riche qui n'avait eu qu'à payer des domestiques et des cuisiniers, le moins cher possible, pour amasser un « honnête » capital. « Honnête », répétait la gérante avec des guillemets dans la voix. Elle en mettait partout de ces guillemets, notait Julie. « Madame » était une fille « de la haute », sans « grande fortune », mais fort « distinguée » qui ne « badinait » point avec les « principes ». Elle avait « donné » à son mari deux filles, « pas bien douées » à l'école, mais « gentilles » qui trouveraient sûrement « un bon mari » vu leur dot.

> Pierre Léon
> *Sur la piste des Jolicoeur*

Par rapport à cette fonction, la mise entre guillemets alterne de nos jours avec l'italicisation.

Remarques

L'usage des *guillemets à chevrons* [«»], ou *guillemets français,* est relativement récent au Québec parce que les machines à écrire ne disposaient que des *guillemets américains,* qui vont également par paires : ce sont des signes d'apostrophe verticaux répétés ['"']. Les virgules répétées ["""], les *guillemets anglais,* sont un autre signe utilisé en typographie, les virgules ouvrantes se présentant tête bêche. On désigne ces guillemets par « guillemets simples à virgules ». Les *guillemets allemands* [' '] désignent enfin ceux que fournit l'apostrophe. La plupart des traitements de texte dont nous disposons de nos jours offrent concurremment les guillemets français, les guillemets américains ou les guillemets anglais, et les guillemets allemands. Dans un enchâssement de citations, c'est dans cet ordre qu'il faut les utiliser.

Les guillemets allemands s'emploient en linguistique et dans l'enseignement pour indiquer une forme littérale par rapport à la même forme transcrite en phonétique et entre crochets, par ex. 'aciérie' [asjeri].

Le recours à des traitements de texte modernes semblent déstabiliser quelque peu les guillemets. En effet, on voit de plus en plus d'auteurs recourir à l'italicisation d'un mot ou d'une suite de mots qui devraient normalement être entre guillemets. Rappelons que l'introduction d'une expression latine, *veni, vidi, vici,* d'un jeu de mots, *Mon Seigneur a toujours été mon saigneur,* sont des cas classiques de mise en italique. Pour Laufer (p. 83), le guillemet désigne l'intertextualité parce qu'il « délimite un énoncé étranger inséré dans un énoncé principal », tandis que l'italique marque l'intratextualité parce qu'il « sert, au contraire, à incorporer une citation dans le texte principal ». L'emploi simultané de l'italique et des guillemets si, pour la même fonction l'on tient compte de ce point de vue, est à rejeter.

[124]

Ce même auteur précise avec justesse (p. 81) ce qui suit : « Le choix de tel ou tel alphabet [...] est déterminé par l'encombrement (élite ou pica), la lisibilité, la qualité de reproduction [...]. Les caractères d'imprimerie sont classés par familles. Chaque famille comprend des assortiments variés par le corps (dimension de l'œil) et la graisse (épaisseur du trait) ». Or, l'italique ne souligne jamais, mais disjoint. Le gras ou le souligné, procédés de mise en relief comme tels, ne devraient jamais être utilisés au lieu de l'italique.

Nous faisons remarquer que ce signe des guillemets est parfois mimé à l'oral, du moins en Amérique du Nord, à l'aide d'un mouvement de l'index et du majeur des deux mains, sans même que l'orateur ait à dire en français, « et je cite », puis « fin de citation » ou en américain, *quote,* puis *end of quote.* Ce mouvement n'imite jamais des chevrons.

À la dictée, on dit « ouvrir les guillemets » puis « fermer les guillemets » ; le texte ainsi noté est « entre guillemets ».

L'emploi de *guillemet,* au singulier, est rare ; le verbe *guillemeter* s'utilise.

TEXTES MODÈLES

L'amour maternel ne va pas de soi. Il est « en plus ».

Élisabeth Badinter
L'Amour en plus

[125]

Le tabou sur le mot « raciste » lui-même tend à s'effacer. Quatre personnes sur dix se reconnaissent désormais « plutôt » ou « un peu » racistes.

Rolland Cayrol
Le Grand Malentendu

Les chevrons [< >]

Ce signe, quand il est double, s'emploie souvent en lieu et place des crochets ou des signes qui leur sont apparentés : les parenthèses, les guillemets, les accolades.

Quand il est simple, fléché à droite ou à gauche, il s'utilise dans l'enseignement pour indiquer qu'une évolution a eu lieu entre deux formes :

cantare > chanter (cantare a donné chanter)

chanter < cantare (chanter vient de cantare)

Le style et la ponctuation

Tous les signes de ponctuation se rapportant à la phrase ou au mot, du point de vue typographique, prennent les valeurs du texte qu'ils marquent. Ainsi, quand un groupe est en gras, en italique ou souligné, les signes l'accompagnant le sont également, et le signe de ponctuation également s'il est à la finale et simple, ce qui exclut les virgules et les tirets :

> C'est un « **plat** » exotique.
> C'est un « *plat* » exotique.
> C'est un « <u>plat</u> » exotique.
> Il en voulut le double **(voire le triple!)**.
> Il en voulut le double *(voire le triple!)*.
> Il en voulut le double <u>(voire le triple!)</u>.

mais

> Elle dut arrêter de travailler, **déjà enceinte de huit mois,** sans plus se soucier du lendemain.

La transformation des caractères standard en gras ou en italique s'emploie, par exemple, pour isoler un titre d'un texte, aux dépens du soulignement, qui est en voie de disparition :

> Déjà réalisateur de deux productions remarquées, *Haitian Corner* et *Lumumba, le prophète,* Raoul Peck a vu son film *l'Homme sur les quais* inscrit en compétition internationale au Festival de Cannes de 1993.

Michel Tétu
L'Année francophone internationale

Cette transformation existe également pour attirer l'attention sur un fait particulier de la narration :

> D'autant plus que l'escargot, quand même, a énormément de caractère : *l'escargot ne recule jamais.*

Alexandre Vialatte
Éloge du homard et autres insectes utiles

ou sur un emprunt d'une langue étrangère :

> Imaginez qu'au lieu d'un escargot, le prétendant soit un sorcier cafre, un anthropophage congolais, un *black muslim,* et qu'une maman lui refuse sa fille !

Alexandre Vialatte
Éloge du homard et autres insectes utiles

Tableau 2
Cooccurrences des signes du mot, d'autres signes et du blanc

signe du mot	espace (blanc) avant	espace (blanc) après	autre signe à gauche	autre signe à droite
[-] trait d'union	non	non	non	non
[-] trait	oui	oui	non	non
[ ] tilde	oui	oui	non	non
[—] tiret	oui	oui	non	non
[&] perluète	oui	oui	non	non
['] apostrophe	non	non	non	non
[.] point	non	oui	non	oui
[?] point d'interrogation	oui	oui	oui	oui
[...] points de suspension	non	oui	non	oui
[!] point d'exclamation	oui	oui	non	oui
[,] virgule	non	oui[1]	non	non
[*] astérisque	oui	non	non	non
[/] barre oblique	non	non[2]	non	non
[=] signe d'égalité	oui	oui	non	non
[[]] crochets	oui	oui[3]	non	oui
[«»] guillemets	oui	oui[3]	non	oui
[<>] chevrons	oui	oui[3]	non	non

1. Sauf dans le cas où il s'agit d'un nombre entier suivi de décimales.
2. Des blancs peuvent précéder et suivre la barre oblique dans les fonctions réservées aux dictionnaires.
3. Quand le deuxième signe est suivi d'un autre signe, le blanc saute.

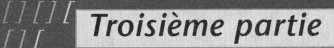

Troisième partie

La ponctuation du [texte]

Chapitre 12

La spatialisation du texte

Une certaine spatialisation du texte écrit est une nécessité. L'objectif est évident : celui de faciliter la lecture et la compréhension du texte. La mise en évidence du titre, le retour à la ligne et la marge laissée au début d'un texte, la place qu'occupent les légendes et les notes, l'établissement de tableaux, etc., tout concourt à la réalisation de cet objectif. L'opération qui consiste à « aérer » un texte revient à insérer la quantité de blancs nécessaires et à marquer ses subdivisions.

Voyons ci-après divers agencements de présentation de sections et sous-sections dans des ouvrages de fiction ou des essais à travers le temps, incorporant les premières lignes du texte ; nos exemples viennent de Victor Hugo (Ernest Flammarion, 1866), de Émile Zola (Eugène Fasquelle, 1909) et de Rolland Cayrol (Seuil, 1994).

LIVRE CINQUIÈME

LE REVOLVER

I

LES CONVERSATIONS DE L'AUBERGE JEAN

Sieur Clubin était l'homme qui attend une occasion.

Victor Hugo
Les Travailleurs de la mer

Voici un autre exemple :

DEUXIÈME PARTIE

I

Il était quatre heures, le jour se levait à peine, un jour rose des premiers matins de mai.

Émile Zola
La Terre

Un troisième exemple :

SECONDE PARTIE

LE SYSTÈME

Repères et règles du jeu

5. Comment les grandes références s'effritent

ou le destin de la « gauche », de la « droite » et des mots en *isme*

Gauche, droite : voilà le clivage qui a longtemps résumé les oppositions internes de l'opinion publique française.

Rolland Cayrol
Le Grand Malentendu

De nos jours, le changement de chapitre n'est souvent marqué que d'un titre de chapitre ou d'un numéro d'ordre, en chiffres arabes ou en chiffres romains :

La vitrine et l'arrière-boutique

Trois mots clés dans la bouche de deux cent cinquante millions de personnes : se procurer, déficitaire, importé.

Nina et Jean Kéhayan
Rue du Prolétaire rouge

Voici un autre exemple :

5

Et ainsi s'ajouta au répertoire des contes, en Acadie, cette nouvelle version de la Baleine blanche que se sont passée les Bélonie devant l'âtre, d'aïeul en père en rejeton.

Antonine Maillet
Pélagie-la-Charrette

Dans d'autres ouvrages, on trouve une combinaison du numéro d'ordre, du titre et, parfois d'un sous-titre :

III

DEUX COPAINS

Le soir de ce même jour, à neuf heures, deux bicyclettes sortaient de Nevers.

Jules Romains
Les Copains

Voici un autre exemple :

4. *La folie*

Une folie douce...

Les indices d'une « folie » dans tous ces textes sont très nombreux. On relèvera dans un premier temps l'utilisation d'expressions toutes faites que, contrairement à son habitude, l'artiste ne cherche pas systématiquement à prendre au pied de la lettre.

Michèle Nevert
Devos, à double titre

Les subdivisions d'un texte correspondant à l'identification du tome (ou du volume), du titre, du sous-titre, du chapitre, du sous-chapitre, de la section, de la sous-section, de l'article s'indiquent par des lettres ou des chiffres toujours suivis d'un point :

I. II. III. IV. ...
A. B. C. D. ...
1. 2. 3. 4. ...
a. b. c. d. ...
i. ii. iii. iv. ...

De façon concurrente, le système numérique international s'utilise pour distinguer les titres et les subdivisions inférieures :

1.
1.1.
1.1.1.
1.2.
1.2.1.
etc.

Les subdivisions marquées par le chiffre suivi du symbole pour *primo, secundo, tertio,* etc., ne prennent pas le point :

1°
2°
3°
etc.

L'une des unités importantes d'un texte est le chapitre. Les paragraphes qui composent un chapitre correspondent à une succession de phrases entretenant une certaine cohérence. « Le paragraphe est au chapitre ce que le point est à la phrase. » (*cf.* Drillon, p. 442)

Le paragraphe commence par un alinéa, c'est-à-dire un retour à la ligne (retour chariot). L'alinéa commence par un rentré (une séquence de quelques blancs, entre 2 et 4 espaces, avant la première lettre du mot commençant un paragraphe) ; cette disposition fait ressortir la distinction entre les deux paragraphes. (Le premier paragraphe d'un chapitre peut ne pas comporter de rentré.)

Voyons l'agencement des deux paragraphes suivants :

> Au pied de l'immeuble, il se heurta à Banane qu'il eut du mal à reconnaître car il avait la boule rasée à zéro et une pommette à ce point proéminente qu'elle rendait son joli visage asymétrique.
>
> En le voyant dans cet état, son cœur se serra et il sentit peser sur lui la responsabilité dont le grevait la mère.

San-Antonio
Les Soupers du prince

Il est d'usage, quand des raisons d'économie d'espace n'interviennent pas, de ménager en outre un espace libre (une ligne remplie de blancs) entre les para-graphes :

> [...] Il ponctuait ses points de vue d'une for-mule tout aussi réputée que sa manière de prononcer : « Parlons peu mais parlons bien ! »
>
> Le colonel était un de ces hommes à qui il ne suffisait pas d'être craint, d'inspirer, chez tous les citoyens, de la peur.

Émile Ollivier
Les Urnes scellées

Remarques

D'une façon générale, le titre d'un ouvrage est en gras et les sous-titres, en italique, de même que la préface d'un livre. Les titres de chapitre sont habituellement en italique.

Les guillemets [« »], [" "], [" "]

Nous avons vu plus haut que les guillemets sont deux paires de signes. Selon leur disposition, ils sont ouvrants ou fermants.

Ce sont d'abord et avant tout des signes de citation. Les guillemets sont une façon courante d'encadrer un dialogue.

On les trouve de deux manières :

1. Pour signaler le texte d'un seul locuteur dans un texte suivi :

> « C'est dans la poche ! » exulta celui-ci.

San-Antonio
Les Soupers du prince

2. Pour signaler les interventions de plusieurs locuteurs de la manière suivante :

> « Vous voulez que je vous mange les doigts ?
> — Pourquoi est-ce que vous me mangeriez les doigts ? »

Sylvie Massicotte
L' Œil de verre

Il arrive frequemment que la citation des locuteurs se fasse à la suite sans alinéa :

> Il faut voir la tête que font les autres quand je leur dis qui a dessiné ce bel arbre : « Nathalie. — Quelle Nathalie ? — La fille de Danièle. — Ah ! elle vit toujours celle-là ? »

Walter Lewino
La Folle de Bagnolet

Le texte cité peut être de l'auteur lui-même :

> Quand j'écris : « Les proclamations du gouverneur ne sont faites que pour aveugler le peuple ! », je sais qu'un de mes concitoyens a été emprisonné pour avoir prononcé ces mots.

Louis Caron
Le Canard de bois

Il y a omission des guillemets le plus souvent quand il y a plusieurs locuteurs :

> Elle me met le collier d'autorité dans la main et me demande si je n'ai pas une photo.
> — Une photo de moi ?
> — Oui, de vous.
> — Peut-être, dans la poche de ma parka.
> — Donnez-la-moi, c'est pour mon dossier.

Walter Lewino
La Folle de Bagnolet

[139]

La citation peut ne pas être une phrase complète. Deux cas se présentent :

1. Le texte est un groupe de la phrase :

> Le ministre a dit qu'il était « l'homme de la situation ».

2. Le texte est un mot-phrase, une phrase ou une réunion de phrases qui commencent par une majuscule :

> « As-tu préparé le souper ? », demanda-t-elle.
>
> Elle s'inquiétait : « As-tu bien dormi ? Tu as fait la sieste, j'espère. »
>
> Pourquoi les enfants disent-ils toujours « Pourquoi ? »

Une séquence de trois signes de ponctuation n'est pas interdite, par exemple [?»,] ; la répétition d'un même signe dans une semblable séquence l'est cependant. Les exemples contenant *Tu as fait la sieste* et *Pourquoi ?* ont été amputés d'un deuxième point d'interrogation.

Une incise à l'intérieur d'une citation n'entraîne pas la fermeture des guillemets et la réouverture d'autres guillemets pour la suite du texte cité :

> « Faites-lui prendre quatre comprimés par jour, lui dit le médecin tout en remplissant une formule ; rappelez-moi demain, dans la journée. »

Dans le cas d'une citation de deuxième rang, c'est-à-dire d'une citation dans une citation, on utilise des guillemets anglais :

> Le témoin dit : « Et alors, je l'ai entendu dire "Merci". »

Les guillemets servent encore à encadrer un article tiré d'un volume ; voyons un exemple tiré des ouvrages cités en bibliographie :

Robitaille, Louis-Bernard, 1993. « Paris : la perfection est sans surprise », dans *Liberté,* vol. 35, n° 6, p. 18-24.

TEXTES MODÈLES

« Elle a fait exprès, dit Marie.
— Eh bien, dit maman, qu'est-ce qui s'est passé ? »
Comme Annie garde la tête baissée, elle demande :
« Tu as perdu ta langue, ce matin ? »

Anne-Marie Garat
Le Monarque égaré

Ils s'installèrent.
Soudain, il y eut un coup de feu, suivi de deux autres.
Lesueur, qui venait de faire flamber une allumette, la souffla.
— Vous entendez ?
— On ne dirait pas des coups de fusil. C'est trop inégal.
— Et puis trois coups seulement !
— Chut !

Jules Romains
Les Copains

Les parenthèses [( )]

C'est un signe de la ponctuation du texte qui est habituellement rattaché de façon erronée à la ponctuation de la phrase ; en fait, c'est un texte qui rompt totalement avec la phrase ou le texte environnant. On se sert de ce signe pour attirer l'attention sur un détail touchant son propos. À ce titre, les parenthèses jouent le même rôle que les virgules ou les tirets. On peut mettre une phrase ou un groupe entre parenthèses, comme dans :

> Pendant des années, trop d'universitaires québécois, surtout francophones, ont été forcés de s'exiler pour faire avancer leurs travaux (les États-Unis, entre autres, en ont grandement bénéficié).
>
> **Françoise Tétu de Labsade**
> *Le Québec : un pays, une culture*

> Dix jours après (le temps d'accourir de Besançon), les héritiers survinrent.
>
> **Gustave Flaubert**
> *Trois Contes*

> La prison départementale de Cahors, installée dans l'ancien palais du gouverneur de la ville (XIVe siècle), dit le Château du Roi, comptait une quarantaine de détenus.
>
> **Walter Levino**
> *La Folle de Bagnolet*

> En arrêtant le chirurgien (qui se révélait être une chirurgienne), ils avaient tout à la fois coincé le cerveau et le bistouri.
>
> **Daniel Pennac**
> *Monsieur Malaussène*

Remarques

Les parenthèses vont toujours par deux : celle de gauche est dite « ouvrante » et celle de droite, « fermante ». À la

[142]

dictée, on dit « ouvrir la parenthèse » puis « fermer la parenthèse ». Le texte ainsi noté est entre parenthèses. D'autres expressions figées favorisent l'emploi au pluriel : « mettre entre parenthèses », « soit dit entre parenthèses ».

Elles ne sont pas réductibles devant le point, le point d'interrogation, le point d'exclamation, la virgule.

Comme pour les guillemets, des locuteurs font parfois un geste imitant les parenthèses, au cours de la lecture d'un texte.

TEXTES MODÈLES

Elle s'immobilisa, tout à coup. Le flic leva les yeux. J'y vis un sourire vert. (Un flic aux yeux verts, oui.)

Daniel Pennac
Monsieur Malaussène

Ainsi, en cinq minutes, que dis-je, en quatre-vingt-dix secondes, je venais d'apprendre qu'une femme pouvait avoir un enfant sans être mariée (alors, à quoi ça sert, le sacrement ?) et de plus, que l'engendrement des enfants avait un rapport avec les phases de la lune.

Raymond Queneau
Les Œuvres complètes de Sally Mara

Il fustigeait la surenchère de la parole, l'esprit d'intolérance, le manque de professionnalisme des journalistes, l'irresponsabilité des coupables de l'effondrement des grandes institutions, la prolifération des groupements et partis, le « saucissonnage » des esprits (un mot qu'il avait formé en condensant saucisson et scission).

Émile Ollivier
Les Urnes scellées

[143]

Les accolades [{ }]

Les accolades et les parenthèses indiquent un choix à effectuer, mais l'application diffère : pour les premières, il est *obligatoire* et, pour les secondes, il est *facultatif* :

> La réécriture de la modalité de phrase est alors :
>
> $$\text{Mod} \blacktriangleright \left\{ \begin{array}{l} \text{Déclaratif} \\ \text{Interrogatif} \\ \text{Impératif} \end{array} \right\} + (\text{Nég}) \quad + (\text{Emph}) \quad + (\text{Passif})$$
>
> c'est-à-dire que, outre un choix impératif entre les trois éléments placés entre les accolades, il reste la possibilité de sélectionner facultativement un ou plusieurs des trois constituants entre parenthèses : négation (Nég), emphase (Emph) et passif (Passif).
>
> **Jean Dubois** *et al.*
> *Dictionnaire de linguistique*

Dans le cas d'une accolade horizontale, comme dans l'exemple suivant, il ne s'agit pas d'une paire :

> À chaque fois qu'il tuait une bête, il faisait un cran sur un os. Et cet os pouvait être différent pour chaque type d'animal : un pour les ours, un autre pour les cerfs, un autre encore pour les bisons, etc. Il dressait ainsi l'état alimentaire du moment. Pour n'avoir pas à recompter chaque fois l'ensemble des encoches correspondantes, il avait pris l'habitude de les répartir par groupe de cinq, comme les doigts de la main :

I I I I I	I I I I I	I I I I I	I I I I I	...
1 2 3 4 5	6 7 8 9 10	11 ... 15	16 ... 20	
1 main	2 mains	3 mains	4 mains	

> **Georges Ifrah**
> *Histoire universelle des chiffres*

Remarques

Il y a deux sortes d'accolades : les accolades verticales et l'accolade horizontale, qui est orientée vers le haut ou vers le bas.

Les premières vont toujours par deux et ne sont pas réductibles devant le point, le point d'interrogation, le point d'exclamation, la virgule. L'accolade de gauche est dite « ouvrante » et celle de droite, « fermante ». À la dictée, on dit « ouvrir l'accolade », puis « fermer l'accolade » ; le texte ainsi noté est « entre accolades ».

Les crochets [[ ]]

Ce signe est utilisé par l'éditeur là où l'auteur – ou le traducteur – aurait inscrit des parenthèses. Ce signe a deux fonctions principales par rapport à la ponctuation du texte : l'éditeur signale qu'une partie du texte original n'est pas reproduite pour diverses raisons ou que le texte entre crochets est de lui et non de l'auteur.

L'emploi le plus répandu des crochets est pour signaler qu'une partie du texte cité n'est pas reproduite :

> Le 28, le temps devint plus beau [...] et, la brume s'étant un peu dissipée, nous fîmes des relèvements qui formalent une suite non interrompue avec ceux des jours précédents, et qui ont servi, ainsi que ceux faits par la suite avec le plus grand soin, à dresser les cartes comprises dans l'atlas.

> **J.-F. de Lapérouse**
> *Voyage autour du monde*

> Rien de merveilleux comme ces machines qui eussent battu sans peine les Mondeux et les [?][2].
>
> 2. Nom propre manquant dans le manuscrit.

Jules Verne
Paris au XXᵉ siècle

Dans le texte suivant, l'éditeur juge qu'une portion du texte de l'auteur est sans intérêt et en donne les raisons entre crochets :

> Le 11 octobre, nous fîmes un très grand nombre d'observations de distances de la lune au soleil pour déterminer la longitude et nous assurer de la marche de nos horloges marines.
>
> [Lapérouse précise ici les résultats mathématiques de ses observations effectuées jusqu'au 16 octobre.]

J.-F. de Lapérouse
Voyage autour du monde

L'éditeur ajoute des notes entre crochets pour indiquer le sens de mots vieillis, comme dans l'exemple suivant :

> Cette île est rangée [entourée] de sablons et beau fonds et possaige [mouillage] à l'entour d'elle à six ou sept brasses.

Samuel de Champlain
Des Sauvages

Dans la même veine, l'éditeur fournit une explication jugée essentielle – dans le cas présent, il s'agit de rétablir la bonne orthographe du nom cité – dans un renvoi en bas de page dont le texte est entre crochets :

> Ce fard n'était autre chose que les couleurs dont les Sauvages se peignent encore, ainsi que je l'ai vu moi-même sur les urnes cinéraires, que monseigneur le cardinal Gualterio[2] conserve dans son riche cabinet.
>
> ———————
>
> 2. [Filippo Antonio Gualtieri, cardinal et érudit italien, 1660-1728, qui séjourna à Paris de 1700 à 1706.]

J.-F. de Lapérouse
Voyage autour du monde

Remarques

De la même manière que pour les guillemets, les parenthèses et les accolades, le membre de gauche est dit « ouvrant » et celui de droite, « fermant ». Les crochets vont toujours par deux et ne sont pas réductibles au début de la phrase ou devant le point, le point d'interrogation, le point d'exclamation, la virgule, etc.

À la dictée, on dit « ouvrir le crochet », puis « fermer le crochet » ; le texte ainsi noté est entre crochets.

De nos jours, cette pratique des notes entre crochets par l'éditeur se perd et prend le plus souvent l'aspect d'une simple note en bas de page :

> Par contre, murmure l'ébéniste[1], il y a un fait qui nous tracasse depuis deux jours.
>
> ———————
>
> 1. Sans doute l'auteur l'appelle-t-il ainsi pour rappeler que son adjoint est couleur d'ébène ?

San-Antonio
Le Pétomane ne répond plus

Je raconte vite la fin sans brouillon, je peux pas écrire longtemps[1].

---

1. Les trois dernières pages du manuscrit sont couvertes de ratures et très difficiles à déchiffrer.

Chimo
Lila dit ça

TEXTES MODÈLES

Grâce à l'intervention du mime dans ses textes, la nécessité de maintenir une vigilance toujours intacte vis-à-vis de l'imaginaire est également explicitée chez Raymond Devos : « [...] il ne faut jamais lâcher dans la nature des papillons qui n'existent pas ! Ça crée des fantasmes ! », écrit-il.

Michèle Nevert
Devos, à double titre

Chaque cabane en a une autre, où sont ses libitinaires [entrepreneur de pompes funèbres] et ses pollincteurs [croque-morts], c'est-à-dire ceux qui prennent soin de leurs morts ; et ce sont d'ordinaire, à ce que je crois, les cabanes qui ont des alliances avec celles du défunt.

Joseph-François Lafitau
Mœurs des sauvages américains

Ainsi s'écoula cette journée, Michel, dédaignant les inconnus pour revenir à des noms illustres, mais passant par des contrastes curieux, tombant d'un Gautier dont le style chatoyant avait un peu vieilli, à un Feydeau, le licencieux continuateur des Louvet et des Laclos, remontant d'un Champfleury à un Jean Macé, le plus ingénieux vulgarisateur de la science. Ses yeux allaient d'un Mery qui faisait de l'esprit comme un bottier des bottes, sur commande, à un Banville, que l'oncle Huguenin traitait sans façon de jongleur de mots ; puis, il rencontrait parfois un Stahl, si soigneusement édité par la maison Hetzel, un Karr, ce spirituel moraliste, qui n'avait pourtant pas l'esprit de se laisser voler, [tombait]3 sur un Houssaye, qui, ayant servi autrefois à l'hôtel de Rambouillet, en avait gardé le style ridicule et les précieuses manières, sur un Saint Victor encore flamboyant après cent ans d'existence.

3. Au fil de la plume, J. V. a oublié un verbe. Nous reprenons à dessein le verbe tomber qu'il a déjà utilisé plus haut.

Jules Verne
Paris au XXe siècle

L'astérisque [*]

Ce signe indique le plus souvent un renvoi. Selon le *Lexique des règles typographiques,* c'est le plus esthétique des appels de note, qu'il soit simple ou multiple. Quand il y a lieu d'indiquer un ou des appels de note dans une page, on procède comme dans l'exemple qui suit :

De ce châtiment terrible, l'énergie allemande se fit un tremplin*.

....

Chaque entreprise, comme la nation elle-même, était la chose de tous ; travailleurs, cadres et patrons devaient *participer* ensemble à la gestion et à sa prospérité**.

....

Dans les années 50, ils continuaient de se côtoyer, le soir dans les *Bierstuben****, et le dimanche, pour le déjeuner en famille, dans quelque *Gasthaus***** niché sous des ruines romantiques.

---

* Et les crédits américains, dira-t-on ? On ignore généralement qu'ils furent beaucoup moins abondants en faveur de l'Allemagne fédérale que du Royaume-Uni : on ne peut pas plus légitimement leur attribuer l'essor de celle-là, que le déclin de celui-ci.
** Bien sûr, pour le principe, les patrons allemands ont feint depuis lors de considérer la cogestion comme abusive et, en 1976, de protester contre sa généralisation. Mais ils ont joué le jeu.
*** Brasseries.
**** Hôtellerie.

Alain Peyrefitte
Le Mal français

Ce signe s'utilise parfois pour marquer davantage la séparation entre paragraphes d'un simple astérisque ou de trois astérisques disposés comme suit *** :

> Ils demeurèrent soudés un long moment, les yeux fixés sur la couche déserte de Rachel.

> ***

> Il insista pour la ramener au garage où elle pourrait séjourner quelques jours, puisque ses fameux travaux d'Hercule étaient arrêtés.

San-Antonio
Les Soupers du prince

CHAP.
12

Remarques

Les chiffres placés en exposant comme appels de note ont l'avantage, par rapport à l'astérisque, de ne pas alourdir la présentation du texte, surtout quand il y a plusieurs renvois dans la même page.

L'une des façons les plus inattendues d'indiquer un renvoi en bas de page est de changer de symbole à chaque appel dans une même page. Par exemple dans l'*Histoire du Canada*, de F.-X. Garneau, ouvrage paru en 1882 (4e édition), on trouve à la suite :

```
*  ... (1re note marquée par  l'astérisque)
†  ... (2e    "       "       "   la croix)
‡  ... (3e    "       "       "   la croix double)
§  ... (4e    "       "       "   le symbole section)
```

D'autres symboles s'utilisent pour marquer la division ou la fin d'un texte. En voici des exemples :

◊

....

————————————-

————————————

- - - - — — — — — - - - -

—-oooOOOooo—-

***

_____*****_____

TEXTE MODÈLE

51

Brèves de cellules

Moralité : fais ce que tu voudras, mais surtout, surtout, pas de mobile !

*

Si on me sort de là, je jure de vivre immobile.

*

Je pense à la Justice, évidemment. [...]

Daniel Pennac
Monsieur Malaussène

La barre oblique [/]

Ce signe s'utilise pour indiquer que le texte cité était disposé à la verticale dans la version originale. Le texte qui suit est tiré d'un poème de trois cent trente-deux vers, publié en 1649 :

[...] « O quelle odeur ! qu'il est pesant ! / Et qu'il me charme en le baisant ! / Page, un couteau que je l'entame [...] / Qui vit jamais un si beau teint ? »

Jean-Luc Hennig
Dictionnaire littéraire et érotique des fruits et légumes

Le tiret [—]

Selon Drillon (p. 442), « l'alinéa est la marque de l'énumération : énumération de répliques, d'idées, de faits, de traits, etc. L'alinéa est au chapitre ce que le point-virgule est à la phrase. »

Ce retour à la ligne avec rentré est souvent marqué par la présence d'un tiret toujours suivi d'un blanc. Il s'utilise pour marquer le changement de locuteur dans l'œuvre de fiction :

> Elle poussa un cri de liesse en reconnaissant sa voix, sa pauvre voix de vieillard à l'agonie.
> — Vous ! Enfin ! C'est horrible de ne pouvoir se rencontrer.
> — Mais non, soupira-t-il ; c'est comme ça.
> — Vous ne souffrez pas de notre séparation ?

> **San-Antonio**
> *Les Soupers du prince*

D'autres utilisations sont possibles : voici un exemple tiré d'un guide touristique :

> La route franchit en col une première falaise :
> — à l'Ouest, avant le col, une route (carrossable, pentes de 18 %) sinue à travers le Montaiguet (belles vues) et redescend sur le pont des Trois Sautets.
> — à l'Est, du col même, se détache une chemin de crête (en partie privé), offrant une vue magnifique sur Sainte-Victoire et ses contreforts.

> **Jean-Paul Coste**
> *Aix et le pays d'Aix*

[153]

Enfin, un exemple d'un ouvrage culinaire, sans rentré :

Préparation : 30 min. Cuisson : 1 h
Pour 4 personnes :
— 4 grosses aubergines
— 1 kg de tomates
— 1 verre moyen d'huile d'olive
— 2 gousses d'ail
— 150 g de jambon cuit
— 150 g de parmesan râpé
— huile à friture, sel, poivre.

Cuisine du pays niçois

Remarque

Après un tiret qui marque le changement de locuteur, le premier mot commence par une majuscule ; dans les autres cas, par une minuscule.

Les signes ou les symboles suivants sont décrits dans leur utilisation sans autre présentation. Ils sont bien plus nombreux, mais nous n'indiquons que ceux qui apparaissent fréquemment dans les traitements de texte ou dans les ouvrages grammaticaux ou dictionnairiques.

La présentation des articles d'un dictionnaire va rarement sans le recours à des vignettes de différents formats. C'est un échantillon de celles-ci que nous présentons également dans ce qui suit.

Le symbole section [§]

C'est le symbole qui annonce un chapitre ou une section d'ouvrage contenant plusieurs paragraphes. Pour Grevisse, ce signe renvoie au numéro d'une règle :

CHAP.
12

Voir § 331.

Le dièse [#]

Ce signe est un concurrent du symbole section [§]

Le pied de mouche [¶]

¶Les traitements de texte nous ont familiarisés avec ce signe, aussi appelé « symbole paragraphe », qui est porté au début et à la fin d'un paragraphe.¶

La pastille noire [•]

Cette vignette, aussi désignée « gros point », « rond noir », « rond plein » et en plusieurs tailles [· • ●], est davantage utilisée depuis l'apparition des traitements de texte ; elle a la valeur d'un tiret :

Avec 1 540 681 km2, le Québec couvre :

• 15,4 % de la superficie totale du Canada
(9 976 147 km2)

• 7,7 % de la superficie de l'Amérique du Nord

• 4,3 % de la superficie des Amériques.

Françoise Tétu de Labsade
Le Québec : un pays, une culture

Voici un autre exemple :

- On écrit le mot *ça* lorsqu'on peut le remplacer par *cela*.

- On écrit le mot *sa* lorsqu'on peut le remplacer par *ma*.

Rousselle *et al.*
Nouveaux Parcours

Le *Trésor de la langue française* utilise la pastille noire [•] pour marquer la subdivision des articles. On retrouve cette vignette dans la préface du *Lexis* ou dans le texte des entrées :

I. Le lexique recensé

- Le vocabulaire courant
- Le vocabulaire des sciences et des techniques
- Les locutions et syntagmes figés
etc.

Voici un autre exemple :

- CLASS. ET LITT.
- CLASS.

Le losange plein debout [♦]

S'utilise dans plusieurs dictionnaires. *Le Petit Robert* place cette vignette devant les différents sens que prend le mot :

> ACTE... 1♦ Chacune des grandes divisions d'une pièce de théâtre [...] 2 ♦ *Fig.* Phase d'une action [...]

L'étoile [★]

Les articles du *Robert méthodique* sont divisés en grands paragraphes introduits par un chiffre romain précédé d'une étoile. On explique que ces paragraphes correspondent à des sens expliqués par des définitions différentes ; ils servent également à distinguer des catégories d'emploi :

> **maître, maîtresse** ★ I. Personne qui exerce une domination. ★ II. Personne qualifiée pour diriger.
>
> **manquer** ★ I. Verbe intransitif. ★ II. verbe transitif indirect. ★ III. Verbe transitif direct.

Les pointes orientées horizontales [◄▷]

On trouve cette vignette dans plusieurs dictionnaires. Dans le *Dictionnaire du français non conventionnel,* selon que l'une ou l'autre des pointes est pleine ou vide, elle prend une signification différente :

CISEAUX, n. m. pluriel.

◁▷   Instrument à couper (des étoffes, du pa-
pier) [...]
(C'est le sens admis en français conventionnel.)

◀▶   Caresse intime [...]
(C'est le sens non conventionnel.)

FOUTOIR, n. m.

◀▷   Au figuré : pièce (chambre, bureau)
encombrée et en désordre.
(Le sens glisse du non conventionnel au familier.)

VERNI (E), adj.

◁▶   Chanceux.
(Le sens glisse du conventionnel au non-conven-
tionnel.)

La pointe orientée à droite [▷]

Le *Dictionnaire universel* utilise cette vignette pour indiquer une nuance de sens :

> **valeur** ▷ importance, intérêt accordés subjec-
> tivement à une chose.

ou pour introduire une locution adverbiale, l'emploi
pronominal du verbe, par exemple :

> **val, vals** ou **vaux**
> ▷ Loc. adv. Par monts et par vaux.

> **contenir**
> ▷ v. pron. Se maîtriser.

La double barre verticale [||]

La même fonction est remplie par la double barre verticale dans le *Littré* et le *Dictionnaire alphabétique et*
analogique de la langue française :

> ACTE... || 1° Mouvement adapté... || 2° Philos.
> ACTE s'oppose à PUISSANCE... || 3° ACTE désigne
> particulièrement le fait accompli...

Le losange plein couché [◆]

Plusieurs dictionnaires se servent de cette vignette à des
fins distinctes, dont le *Lexis* et *Le Grand Larousse de la
langue française* pour la présentation des dérivés et composés rattachés au terme vedette placé en entrée :

> DIPHTONGUE...
>
> ◆ diphtonguer
>
> ◆ diphtongaison

Dans le *Petit Larousse en couleurs,* c'est la façon de
désigner des emplois de verbes :

> abattre ◆ v. i.
> ◆ s'abattre

Le carré plein [■]

On dit aussi « carré noir ». Le texte encyclopédique dans
le *Petit Larousse en couleurs,* par exemple, est introduit par
cette vignette :

ARMEMENT...

- L'armement moderne, de plus en plus diversifié, comprend [...]

Le losange vide oblique [◊]

Le *Petit Robert* l'utilise entre autres pour introduire un domaine, un sens figuré :

ACTION... ◊ MATH.

Dans le *Trésor de la langue française,* pour indiquer un domaine ou introduire une remarque, on trouve deux vignettes consécutives :

◊◊ REM.
◊◊ PRONONC. ET ORTH.

Le losange vide oblique avec un carré plein oblique à l'intérieur [◈]

Le *Petit Robert* présente les antonymes en les faisant précéder de cette vignette.

ACTIF... ◈ ANT. *Inactif, passif. Paresseux.*

Les points de conduite [................................]

Les points de conduite, appelés aussi « points conducteurs », « points de suite » ou « points carrés », s'utilisent habituellement dans un tableau ou, le plus souvent, pour séparer le titre d'une subdivision d'un texte et la page de début :

1.4.6. Les maladies des reins....................... 263

ou dans une liste :

poires .... 20 kg
poireaux   .... 3 bottes

Signes de correction

Enseignants et correcteurs de texte utilisent des signes de correction variés. À titre indicatif, voici un échantillon des signes, parmi les plus courants, qu'utilisent les correcteurs d'épreuves. Les opérations les plus fréquentes sont l'ajout et la suppression.

Nous les présentons selon qu'ils concernent :

— la correction des caractères, ce qui comprend les lettres, les signes et des symboles spéciaux (Tableau n° 3) ;

— la correction des mots (Tableau n° 4) ;

— la correction du texte (Tableau n° 5).

Tableau 3

Signes de correction des caractères

ajout	Ce court texte a permis de	⨉ ⋏
suppression	présenter la ponctuation sous un autre	/ ℈
échange	angle pour illustrer des valeurs	n /
ponctuation	syntaxiques non négligeables Comme le	. /
majuscule	faisait J. Hirschberg, il y a exactement	L /
minuscule	Trente ans, nous voulions par là souli-	t /
accentuation	gner la nécessité de prendre en compte	é /
transposition	le rôle de certains singes de ponctua-	⌒
œil étranger	tion dans l'analyse syntaxique. Cette mise	a /
exposant	au point n'est pas inopportune :	⌐

Tableau 4

Signes de correction des mots

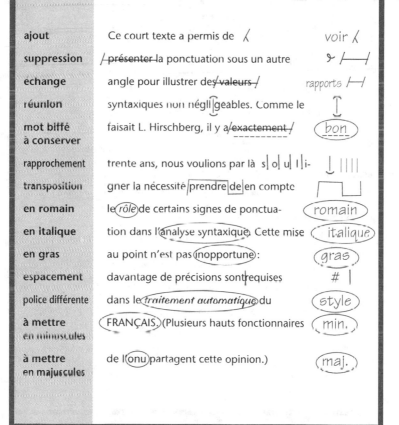

ajout	Ce court texte a permis de
suppression	présenter la ponctuation sous un autre
échange	angle pour illustrer des valeurs
réunion	syntaxiques non négligeables. Comme le
mot biffé à conserver	faisait L. Hirschberg, il y a exactement
rapprochement	trente ans, nous voulions par là souli-
transposition	gner la nécessité prendre de en compte
en romain	le rôle de certains signes de ponctua-
en italique	tion dans l'analyse syntaxique. Cette mise
en gras	au point n'est pas inopportune :
espacement	davantage de précisions sont requises
police différente	dans le traitement automatique du
à mettre en minuscules	FRANÇAIS. (Plusieurs hauts fonctionnaires
à mettre en majuscules	de l'onu partagent cette opinion.)

Tableau 5

Signes de correction du texte

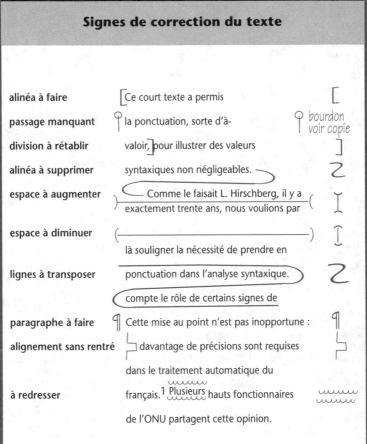

alinéa à faire	⌈Ce court texte a permis
passage manquant	la ponctuation, sorte d'à-
division à rétablir	valoir,⌐pour illustrer des valeurs
alinéa à supprimer	syntaxiques non négligeables.
espace à augmenter	Comme le faisait L. Hirschberg, il y a exactement trente ans, nous voulions par
espace à diminuer	là souligner la nécessité de prendre en
lignes à transposer	ponctuation dans l'analyse syntaxique. compte le rôle de certains signes de
paragraphe à faire	Cette mise au point n'est pas inopportune :
alignement sans rentré	davantage de précisions sont requises
	dans le traitement automatique du
à redresser	français.[1] Plusieurs hauts fonctionnaires
	de l'ONU partagent cette opinion.

bourdon
voir copie

Bibliographie

Ouvrages de référence

ARRIVÉ, M., C. BLANCHE BENVENISTE, J.-C. CHEVALIER, M. PEYTARD, 1964. *Grammaire Larousse du français contemporain*. Paris, Larousse.

BARNABÉ, Réal (réd.), 1989. *Guide de rédaction*. Montréal, Editions Saint-Martin.

BLANCHE BENVENISTE, Claire et Colette JEANJEAN, 1987. *Le Français parlé - transcription et édition*. Paris, Didier et INALF.

BULCOURT, Raoul *et al.,* 1989. *Abrégé du code typographique à l'usage de la presse*. Paris, Éditions du Centre de formation et de perfectionnement des journalistes.

CATACH, Nina (réd.), 1980. *Langue française (LF)*, nº 45, *La ponctuation*. Paris, Larousse.

CELLARD, Jacques et Alain REY, 1980. *Dictionnaire du français non conventionnel*. Paris, Hachette.

COLIGNON, Jean Pierre, 1988. *La ponctuation, art et finesse*. Paris, Éole.

DAMOURETTE, Jacques, 1939. *Traité moderne de ponctuation*. Paris, Larousse.

Dictionnaire universel, 1995. Paris, Hachette et Vanves, AUPELF-UREF/Edicef.

DOLET, Estienne, 1541. *La Maniere de bien traduire d'une langue en aultre. D'advantage. De la punctuation de la langue francoyse. Plus. Des accent d'ycelle.* 2ᵉ éd. Lyon, chés Dolet meme.

DOPPAGNE, Albert, 1992. *La Bonne Ponctuation.* 2ᵉ éd. revue. Paris, Louvain-la-Neuve, Duculot.

DRILLON, Jacques, 1992. *Traité de la ponctuation française.* Paris, Gallimard.

DUGAS, André, 1995. « Ponctuation et syntaxe », dans Hava Bat-Zeev Shildkrot et Lucien Kupferman, 1995, *Tendances récentes en linguistique française et générale,* volume dédié à David Gaatone. Amsterdam/Philadelphia, Linguisticæ Investigationes Supplementa nᵒ 20, p. 143-150.

EN COLLABORATION, s.d. *Manuel - Annonces classées.* Cégep Édouard-Montpetit et La Presse Lᵗᵉᵉ.

GOBBE, Roger et Michel TORDOIR, 1986. *Grammaire française.* Montréal, Éd. du Trécarré.

GREVISSE, Maurice, 1993. *Le Bon Usage, grammaire française,* refondue par André Goosse, 13ᵉ édition revue. Paris/Louvain-la-Neuve, Duculot.

LAUFER, Roger, 1980. « Du ponctuel au scriptural - Signes d'énoncé et marques d'énonciation », dans Nina Catach, 1980, *La Ponctuation, Langue française,* p. 77-88.

Lexique des règles typographiques en usage à l'imprimerie nationale, 1990. Paris, Imprimerie nationale.

Lexis, 1977. Édition revue et corrigée. Paris, Larousse.

MATHIEU-COLAS, Michel, 1993. *Dictionnaire électronique des mots français à trait d'union,* thèse de doctorat. Villetaneuse, Université Paris XIII, Laboratoire de linguistique informatique.

McCLELLAND, Denise (réd.), 1983. *Guide du rédacteur de l'administration fédérale.* Canada, Secrétariat d'État.

NUNBERG, Geoffrey, 1990. *The Linguistics of Punctuation.* Center for the Study of Language and Information, Lecture Notes, nᵒ 18. Standford, Palo Alto, Californie.

Le Petit Larousse en couleurs, 1980. Paris, Librairie Larousse.

Le Nouveau Petit Robert, 1993. *Dictionnaire alphabétique et analogique de la langue française.* Paris, Dictionnaires Le Robert.

POPLACK, Shana, 1984. « The care and handling of a mega-corpus : the Ottawa-Hull French Project », dans R. Fasold et D. Shiffin, réd., *Proceedings of NWAVE-XI,* Washington, DC, Georgetown University Press.

RAMAT, Aurel, 1984. *Grammaire typographique.* Longueuil ; Aurel Ramat.

Robert & Collins, 1981. *Dictionnaire français-anglais, anglais-français.* Paris, Société du nouveau Littré.

Robert méthodique, 1982. Paris, Dictionnaire Le Robert.

SENSINE, Henri, 1930. *La Ponctuation en français.* Paris, Payot.

THIMONNIER, René, 1970. *Code orthographique et grammatical.* Paris, Hatier.

TRAIT, Jean-Claude et Yvon DULUDE, 1989. *Dictionnaire des bruits.* Montréal, Éditions de l'Homme.

Trésor de la langue française, 1985-1994, 15 vol., Paris, CNRS et Klincksieck, puis Gallimard.

ZEMB, Jean-Marie, 1978. *Vergleichende Grammatik Französisch-Deutsch.* Mannheim, Wien, Zürich, Bibliographisches Institut.

Ouvrages cités

ALAIN-FOURNIER, 1913. *Le Grand Meaulnes.* Paris, Émile Paul.

AQUIN, Hubert, 1969. *L'Antiphonaire.* Montréal, Le Cercle du livre de France.

ATTALI, Jacques, 1982. *Histoires du temps.* Paris, Fayard.

AUBERT, Claude, 1979. *Une Autre assiette.* Paris, Debard.

AUDET, Noël, 1995. *Frontières ou Tableaux d'Amérique.* Montréal, Québec/Amérique.

BACOT, Jean-François, 1993. *Ciné Die.* Montréal, Tryptique.

BADINTER, Élisabeth, 1980. *L'Amour en plus.* Paris, Flammarion.

BIBLIO.

BALZAC, Honoré de, 1830. « Études de femmes », tiré de *Les Scènes de la vie privée,* dans Gadbois, V. *et al,* 1990. *20 Grands Auteurs pour découvrir la nouvelle.* Beloeil, La Lignée.

BALZAC, Honoré de, 1834. *Le Père Goriot.* Paris, Le livre de poche, 1972.

BASTIA, France, 1990. *L'Herbe naïve.* Paris - Louvain-la-Neuve, Duculot.

BEAUSOLEIL, Oscar, s.d., *Reliure-dorure,* coll. Les livres jaunes, n° 13, 3e édition. Paris, chez l'auteur.

BESSETTE, Gérard, 1968. *Le Libraire.* Montréal, Le Cercle du livre de France.

BOUDARD, Alphonse, 1983. *Le Café du pauvre.* Paris, La Table Ronde.

BOURGUIGNON, Stéphane, 1993. *L'Avaleur de sable.* Montréal, Québec/Amérique.

BRULOTTE, Gaétan, 1990. « Cage ouverte », dans Gadbois, V. *et al., 20 Grands Auteurs pour découvrir la nouvelle.* Beloeil, La Lignée.

CARON, Louis, 1981. *Les Fils de la liberté 1. Le Canard de bois.* Montréal, Boréal et Paris, Seuil (1982).

CAYROL, Roland, 1994. *Le Grand Malentendu - Les Français et la politique.* Paris, Seuil.

CÉLINE, Louis-Ferdinand, 1932. *Voyage au bout de la nuit.* Paris, Denoël et Steele.

CHAMPLAIN, Samuel de, 1993. *Des Sauvages.* Texte établi, présenté et annoté par Alain Beaulieu et Réal Ouellet. Montréal, Typo.

CHATEAUBRIAND, 1827. *Voyages en Amérique, en Italie, au Mont-Blanc.* Paris, Garnier.

CHIMO, 1996. *Lila dit ça.* Paris, Plon.

COHEN, Albert, 1938. *Mangeclous.* Paris, Gallimard.

COSTE, Jean-Paul et Pierre Coste, 1981. *Aix et le pays d'Aix.* Aix-en-Provence, Édisud.

DEPESTRE, René, 1981. « De l'eau fraîche pour Georgina », tiré de *Alléluia pour une femme jardin*. Paris, Gallimard, dans Gadbois, V. *et al.*, 1990. *20 Grands Auteurs pour découvrir la nouvelle*. Beloeil, La Lignée.

DESBIENS, Jean-Paul, 1965. *Sous le soleil de la pitié*. Montréal, Éditions du Jour.

DUBÉ, Marcel, 1968. *Zone*. Montréal, Leméac.

DUBOIS, Jean *et al.*, 1973. *Dictionnaire de linguistique*. Paris, Larousse.

DUCHARME, Réjean, 1966. *L'Avalée des avalés*. Paris, Gallimard.

DUNETON, Claude, 1976. *Je suis comme une truie qui doute*. Paris, Seuil.

DUMONT, René, 1961. *Terres vivantes*. Paris, Plon.

DUPUIS-DÉRI, Francis, 1995. *Love & rage*. Montréal, Leméac.

ECO, Umberto, 1985. *La Guerre du faux*. Traduction de l'italien par Myriam Tanant. Paris, Grasset.

EGLI, Émile, 1964. *Afrique – désert-steppe-forêt vierge*. Bruxelles, Artis.

FABRE, J.-H., 1920. *Souvenirs entomologiques*. 10 vol. Paris, Delagrave.

FERRON, Jacques, 1965. *La Nuit*. Montréal, Parti pris.

FLAUBERT, Gustave, 1857. *Madame Bovary*. Paris, Le livre de poche, 1969.

FLAUBERT, Gustave, 1965. *Trois contes*. Paris, Flammarion.

FRISON-ROCHE, Roger, 1941. *Premier de cordée*. Grenoble et Paris, Arthaud.

GADBOIS, Vital, Michel PAQUIN et Roger RENY, 1990. *20 Grands Auteurs pour découvrir la nouvelle*. Beloeil, La Lignée.

GARAT, Anne-Marie, 1989. *Le Monarque égaré*. Paris, Flammarion.

GAUTIER, Théophile, 1866. *Le Capitaine Fracasse*. Paris, Charpentier.

GIONO, Jean, 1930. *Regain*. Paris, Grasset.

GRAVEL, François, 1996. *Miss Septembre*. Montréal, Québec/Amérique.

BIBLIO.

GULLIVER, Lili, 1990. *L'Univers Gulliver - 1. Paris.* Montréal, VLB.

HÉBERT, Anne, 1970. *Kamouraska.* Paris, Seuil.

HÉMON, Louis, 1916. *Maria Chapdelaine.* Montréal, J.-A. LeFebvre.

HELME, Heine, 1981. *Un éléphant, ça compte énormément.* Traduction de l'anglais par Yves-Marie Maquet. Paris, Gallimard.

HUGO, Victor, 1865. *Les Misérables.* Paris, Hetzel et Lacroix.

HIMES, Chester, 1982. *Le Manteau de rêve.* Traduction de l'anglais par Hélène Devaux-Minié. Paris, Lieu Commun.

IFRAH, Georges, 1994. *Histoire universelle des chiffres,* tomes I et II. Paris, Laffont.

KÉHAYAN, Nina et Jean, 1978. *Rue du Prolétaire rouge.* Paris, Seuil.

LAFERRIÈRE, Dany, 1985. *Comment faire l'amour avec un Nègre sans se fatiguer.* Montréal, VLB.

LAFERRIÈRE, Dany, 1992. *Le Goût des jeunes filles.* Montréal, VLB.

LAFITAU, Joseph-François, 1983. *Mœurs des sauvages américains.* 2 vol. Introduction, choix des textes et notes par Edna Hindie Lemay. Paris, Maspero.

LA FONTAINE, Jean de, 1867. *Fables.* 2 volumes. Paris, Hachette.

LALONDE, Robert, 1992. *L'Ogre de Grand Remous.* Paris, Seuil.

LANGEVIN, André, 1951. *Évadé de la nuit.* Montréal, Le Cercle du livre de France.

LAPÉROUSE, J.-F. de, 1797. *Voyage autour du monde, sur l'astrolabe et la boussole (1785-1788).* Paris, La Découverte, 1991.

LEBLANC, Maurice, 1964. *L'Aiguille creuse.* Paris, Le Livre de poche.

LÉON, Pierre, 1993. *Sur la piste des Jolicoeur.* Montréal, VLB éditeur.

LETOURNEUX, Johanne. « La déverse », dans *Stop,* n° 145. Montréal.

LÉVI-STRAUSS, Claude, 1962. *La Pensée sauvage.* Paris, Plon.

LEWINO, Walter, 1994. *La Folle de Bagnolet.* Bordeaux, Le Castor astral.

LINTEAU, Paul-André, 1992. *Histoire de Montréal depuis la Confédération*. Montréal, Boréal.

LIPOVETSKI, Gilles, 1992. *Le Crépuscule du devoir*. Paris, Gallimard.

LONDRES, Albert, 1984. *Dante n'avait rien vu*. Paris, Christian Bourgeois.

MAALOUF, Amin, 1983. *Les Croisades vues par les Arabes*. Paris, Lattès.

MAALOUF, Amin, 1986. *Léon l'Africain*. Paris, Lattès.

MAGNAN, Pierre, 1986. *Les Courriers de la mort*. Paris, Denoël.

MAILLET, Antonine, 1973. *Mariaagélas*. Montréal, Leméac.

MALAVOY, Christophe, 1990. *D'Étoiles et d'exils*. Paris, Flammarion.

MALLET, Léo, 1996. *Dernières enquêtes de Nestor*. Paris, Laffont.

MARAN, René, 1937. *Le Livre de la brousse*. Paris, Fayard.

MASSICOTTE, Sylvie, 1993. *L'Œil de verre*. Québec, L'instant même.

MAUPASSANT, Guy de, 1948. *Contes*. Montréal, Les Éditions Variétés, 1948.

MERIMÉE, Prosper, 1845. *Colomba,* suivi de *La Mosaïque* et autres contes et nouvelles. Paris, Charpentier.

MIRON, Gaston, 1981. *L'Homme rapaillé*. Paris, Maspero.

MORENCY, Pierre, 1989. *L'Œil américain*. Montréal, Boréal/Paris, Seuil.

NEVERT, Michèle, 1994. *Devos, à double titre*. Paris, PUF.

OLLIVIER, Émile, 1995. *Les Urnes scellées*. Paris, Albin Michel.

PAGNOL, Marcel, 1962. *Manon des sources*. Paris, Le Livre de poche.

PAGNOL, Marcel, 1932. *Pirouettes*. Paris, Fasquelle.

PENNAC, Daniel, 1992. *Comme un roman*. Paris, Gallimard.

PENNAC, Daniel, 1995. *Monsieur Malaussène*. Paris, Gallimard.

PEYREFITTE, Alain, 1976. *Le Mal français*. Paris, Plon.

BIBLIO.

PLEYNET, Marcelin, 1988. *Henri Matisse.* Paris, Gallimard.

PRÉFONTAINE, Clémence, 1991. *Le Roman d'amour à l'école.* Montréal, Éditions Logiques.

PRÉVERT, Jacques, 1972. *Paroles.* Coll. Folio. Paris, Gallimard.

PROULX, Monique, 1993. *Homme invisible à la fenêtre.* Montréal, Boréal.

PROVENCHER, Jean, 1988. *Les Quatre saisons dans la vallée du Saint-Laurent.* Montréal, Boréal.

QUENEAU, Raymond, 1962. *Les Œuvres complètes de Sally Mara.* Paris, Gallimard.

REYES, Alina, 1988. *Le Boucher.* Paris, Seuil.

RIBOUD, Marc. 1986. *Journal.* Présentation de Claude Roy. Paris, Denoël.

ROBITAILLE, Louis-Bernard, 1993. « Paris : la perfection est sans surprise », dans *Liberté,* vol. 35, n° 6, p. 18-24.

ROMAINS, Jules, 1922. *Les Copains.* Paris, Gallimard.

ROUSSEAU, Jean-Jacques, 1762. *Émile, ou de l'éducation.* La Haye, Jean Néaulme.

ROUSSELLE, James et al., 1990. *Nouveaux parcours,* 2e itinéraire, première étape : Stratégies. Montréal, CEC.

ROY, Gabrielle, 1950. *La Petite Poule d'Eau.* Montréal, Beauchemin.

SABOURIN, Jean-Guy, 1994. *En scène, tout le monde !* Montréal, Guérin.

SAFÉRIS, Camille, 1992. *Le Manuel des premières fois.* Paris, Presses de la cité.

SAINT-JOHN PERSE, 1957. *Amers.* Paris, Gallimard.

SAN-ANTONIO, 1992. *Les Soupers du prince.* Paris, Fleuve noir.

SAN-ANTONIO, 1995. *Le Pétomane ne répond plus.* Paris, Fleuve noir.

SAND, George, 1984. *La Mare au Diable.* Paris, Le Livre de poche.

SAUL, John, 1993. *Les Bâtards de Voltaire - La dictature de la raison en Occident.* Traduction de l'anglais par Sabine Boulongne. Paris, Payot.

SLAMA, Alain-Gérard, 1993. *L'Angélisme exterminateur - Essai sur l'ordre moral contemporain.* Paris, Grasset.

STENDHAL, 1822. *De l'Amour.* Paris, Garnier-Flammarion.

TÉTU, Michel (dir.), 1994. *L'Année francophone internationale.* Paris, BIBLIO. ACCT.

TÉTU DE LABSADE, Françoise, 1990. *Le Québec : un pays, une culture.* Montréal, Boréal/Paris, Seuil.

TRUDEL, Sylvain, 1993. « Mourir de la hanche », dans *Liberté,* vol. 35, n° 6, p. 115-136.

VALLI, Éric et Diane SUMMERS, 1988. *Chasseurs de miel.* Paris, Nathan.

VERNE, Jules, 1884-85. « Frritt-Flacc », dans Gadbois, Vital, Michel Paquin, Reny Roger (réd.), 1990. *20 Grands Auteurs pour découvrir la nouvelle.* Beloeil, La Lignée.

VERNE, Jules, 1994. *Paris au XXe siècle.* Paris, Hachette et Cherche-Midi.

VIALATTE, Alexandre, 1987. *Éloge du homard et autres insectes utiles.* Paris, Julliard.

VIAN, Boris, 1962. *L'Arrache-cœur.* Paris, Jean-Jacques Pauvert.

VIAN, Boris, 1956. *L'Automne à Pékin.* Paris, Minuit.

WOLF, Marco, 1984. *La Bosse des maths est-elle une maladie mentale ?* Paris, La Découverte.

YAGUELLO, Marina, 1989. *Le Sexe des mots.* Paris, Belfond.

YOSCHIMOTO, Banana, 1994. *Kitchen,* traduction du japonais par Dominique Palmé et Kyôto Satô. Paris, Gallimard.

ZOLA, Émile, 1974. *Germinal.* Paris, Le Livre de poche.

ZOLA, Émile, 1909. *La Terre.* Paris, Bibliothèque Charpentier.

ZOLA, Émile, 1875. *Le Ventre de Paris.* Paris, Prodifu.

Liste des tableaux

Un mot sur l'auteur

André Dugas est professeur à l'UQAM depuis 1969. Il a également enseigné dans d'autres universités du Québec et de l'Ontario, en France et en Côte d'Ivoire. Il a publié des ouvrages et des articles en linguistique, en alphabétisation et en terminologie. La grammaire du français est l'une de ses spécialités. Il est l'un des auteurs du *Dictionnaire pratique des expressions québécoises* et d'un guide de conjugaison, *Les verbes LOGIQUES*, publié aux Éditions LOGIQUES.

imprimerie gagné ltée

IMPRIMÉ AU CANADA